Dr Johannes - H. Heilmann
avec la collaboration des
Dr K. Kintzel & Dr L. Schrastetter

Programme anti-mal de dos

• MARABOUT •

Avis au lecteur

Qui n'a pas déjà souffert de maux de dos, sans savoir comment les soulager ?

Il n'est pas rare, en effet, que les douleurs surviennent le soir après une grosse journée de travail, pendant le week-end, ou encore lors d'un déplacement professionnel dans une ville étrangère... Difficile alors d'avoir recours à une aide médicale, et, dans ces cas-là, chaque mouvement fait terriblement souffrir. Comment savoir s'il faut appeler les urgences médicales ou bien si l'on peut parvenir à soulager soi-même la douleur ? À la suite de ces désagréments, vous avez certainement cherché un moyen efficace d'éviter le renouvellement de cette pénible expérience...

Ce livre a été conçu pour apporter des réponses claires à toutes les questions que vous vous posez concernant le fonctionnement de votre dos. Car une chose est certaine : le dos exerce une grande influence sur notre bien-être général. La colonne vertébrale constitue l'axe central de notre corps et lui permet de se maintenir et de se mouvoir. Mais elle est malheureusement trop souvent sujette à la douleur. Les problèmes de dos touchent quasiment tout le monde, et constituent l'une des causes majeures de consultation médicale, d'arrêt maladie et de séjour hospitalier.

Ce livre ne prétend aucunement remplacer la visite chez le médecin. Il se propose simplement de mettre à votre disposition les moyens de vous éviter certains désagréments et de soulager les douleurs aiguës. Nous pensons que la prévention est efficace. Chacun peut, effectivement, participer à « l'entretien » quotidien de son dos. Il suffit, notamment, de bien vouloir essayer de modifier certaines attitudes corporelles, son maintien, ses mouvements, et de se muscler en conséquence. En outre, vous trouverez dans cet ouvrage une liste exhaustive des examens qu'un médecin peut vous demander, et des traitements qu'un thérapeute est susceptible d'entreprendre.

Les docteurs Johannes-H. Heilmann, Katrin Kintzel et Lydia Schrastetter

Sommaire

SOMMAIRE

Comment soulager le dos

Alors que les machines remplacent aujourd'hui l'homme dans les tâches nécessitant des efforts physiques intenses et que la médecine soigne mieux qu'autrefois, les gens sont toujours plus nombreux à être sujets aux problèmes de dos. En réalité, notre corps souffre actuellement de ne plus se mouvoir assez au quotidien et d'être par contre souvent trop brutalement sollicité dans la pratique du sport.

Difficile, effectivement, de modifier les conditions de notre vie moderne. Mais il est important de bien savoir ce que nous pouvons exiger de notre dos. Comment le soulager et contribuer à sa détente, et comment préparer notre colonne vertébrale aux sollicitations de la vie de tous les jours ? C'est ce que cet ouvrage va tenter de vous expliquer.

L'ÉVOLUTION DES PROBLÈMES DE DOS

L'usure de la colonne vertébrale et les problèmes relatifs aux disques intervertébraux sont aussi vieux que l'humanité. C'est ce dont témoignent les squelettes de nos ancêtres, retrouvés dans les fouilles. Les conditions de vie se sont modifiées au fil des siècles, de même que les maux de dos, leurs causes et leurs effets. Les orthopédistes constatent que les maladies provoquant l'usure de la colonne vertébrale ont considérablement augmenté ces dernières décennies. Ceci est d'autant plus surprenant que les soins médicaux et les traitements se sont notablement améliorés.

DES AMÉLIORATIONS IMPORTANTES

Les progrès de la médecine ont effectivement permis de soigner et guérir des maladies autrefois très répandues et graves. La tuberculose osseuse (infection bactérienne), le rachitisme (carence vitaminique provoquant dans l'enfance des malformations du squelette) et la poliomyélite (paralysie infantile) ont presque complètement disparu de nos pays industrialisés. Les examens que l'on pratique maintenant sur le nourrisson permettent d'identifier et de traiter rapidement les maladies du squelette et des muscles.

Aujourd'hui, le corps est moins sollicité qu'auparavant dans le cadre de la vie professionnelle. Le travail des enfants a disparu de nos pays occidentaux et les tâches exigeant des efforts physiques intenses sont effectuées par les machines. En outre, les conditions de travail des ouvriers sont maintenant strictement réglementées. Le développement de l'ergonomie, science de l'adaptation du travail à l'homme, a permis d'identifier certains mouvements provoquant autrefois une usure chronique du squelette. En outre, grâce au système de l'assurance maladie, un employé peut se soigner avant de reprendre son travail.

Notre époque moderne offre une mobilité incroyable et pourtant notre corps n'a jamais été aussi peu sollicité qu'aujourd'hui.

CE QUE LE DOS SUBIT AUJOURD'HUI

En dépit de ces évolutions favorables, les gens sont encore nombreux à souffrir de maux de dos, mais force est de constater que nous n'avons plus d'activité physique suffisante. Nous restons trop souvent et trop longtemps en position assise. Aujourd'hui, une multitude de gens travaillent quotidiennement assis devant leur écran d'ordinateur. Grâce aux moyens de communication modernes comme Internet, ils peuvent entrer en contact avec le monde entier sans même avoir besoin de se lever de leur siège. On ne sollicite souvent pas davantage le corps en dehors des horaires de travail, et l'ordinateur est même devenu l'un des passe-temps favoris à la maison. Il est clair que nous prenons peu l'air.

Or, le corps n'est pas fait pour rester si longtemps en position assise. La pression alors exercée sur les disques intervertébraux est trois fois plus importante qu'en position couchée et près de deux fois plus forte qu'en station debout. À cela s'ajoute que les muscles ne travaillent plus assez et s'affaiblissent, tandis que les articulations perdent de leur souplesse.

LE SPORT OUI, MAIS À CONSOMMER AVEC MODÉRATION

Alors que certains d'entre nous ne se dépensent pas davantage lors de leur temps libre, d'autres au contraire ressentent un fort besoin d'activité physique. Or, dans notre société actuelle, les sports à risque et les sports que l'on qualifie de « fun », ont le vent en poupe.

Le fait de rester assis des heures entières devant l'ordinateur fait souffrir la colonne vertébrale.

On se rend donc après le travail dans des salles de gymnastique où le corps est violemment sollicité sans échauffement préalable. Pourtant, la pratique de ces sports n'est pas vraiment adaptée aux besoins de notre corps et de notre dos. Nous avons besoin avant tout d'accorder une attention quotidienne à notre dos et de pratiquer un échauffement régulier, nous permettant de mieux nous préparer aux exercices sportifs.

Il nous est possible, cependant, de prévenir certains problèmes de dos. D'autres, en revanche, relevant de maladies organiques ou causés par un traumatisme accidentel, sont plus difficiles à traiter. Il ne faut pas négliger non plus les facteurs psychologiques, car le corps et l'esprit sont étroitement liés. C'est le thème abordé dans le chapitre « Le dos et le psychisme » (p. 56 et sv.).

CE QUE CET OUVRAGE VOUS PROPOSE

D'après les statistiques, les maux de dos sont l'une des principales causes de consultation médicale, de prescription et de séjour hospitalier. Ce constat a généré la mise en place d'une réflexion plus soutenue, destinée à prendre davantage en considération notre dos dans la vie quotidienne, ce dont notre ouvrage se propose de vous rendre compte.

• Le chapitre « **Dos sain, dos malade** » décrit la manière dont le dos « fonctionne », ses différentes parties (colonne vertébrale, disques, etc.) et leur agencement. Il est ainsi plus simple de comprendre pourquoi les dysfonctionnements provoquent des douleurs et de connaître le meilleur moyen de les traiter.

• Le chapitre « **Comment réagir lors des douleurs aiguës** » aborde les mesures à prendre pour parvenir à soulager les douleurs survenues brutalement.
Autre aspect important :
À quel moment doit-on consulter le médecin ?

• Le chapitre « **Un dos sans problème** » apporte des suggestions pour prendre en compte au quotidien sa colonne vertébrale. Il est relativement facile d'intégrer dans sa vie de tous les jours les règles de base permettant de savoir marcher, s'asseoir, s'allonger et porter en ménageant son dos.

Notre corps a besoin d'être bien échauffé avant de tenter des exploits sportifs.

• Une belle musculature et un squelette mobile et souple favorisent au maximum la bonne tenue du dos. Le chapitre « **Un dos tonique et robuste** » est un entraînement facilement praticable destiné à renforcer la tenue du dos. Les exercices sont organisés en modules dans lesquels il vous est possible de piocher pour vous constituer un programme adapté à votre propre cas.

• Le chapitre suivant, « **Médecines et thérapies** », vous donnera un aperçu des métiers, des écoles et des thérapies se rapportant aux soins du dos. Étant donné que ce type de douleurs est très souvent lié au stress, nous y abordons également les méthodes de relaxation.

• Comment se déroule une visite chez l'orthopédiste et comment procède-t-il ? C'est ce que nous vous proposons dans le chapitre « **Les aides médicales** ».

UNE QUÊTE INDIVIDUELLE

Vivre sa vie durant sans avoir mal au dos n'est pas impossible ! Sur le long terme, seule une prise en considération de soi-même dans une globalité - corps, esprit et âme - permet d'accéder à un état de bien-être. Lors de tensions intérieures, de stress et de problèmes psychologiques, le dos qui constitue l'axe central et porteur de notre corps, est l'organe qui exprime de la manière la plus évidente une souffrance morale ou physique. Une « mauvaise posture » peut révéler un manque de confiance en soi ou bien certains états d'âmes.

C'est la raison pour laquelle les thérapies « classiques » sont souvent insuffisantes dans le traitement de maux de dos chroniques. Et c'est là que les méthodes de relaxation deviennent indispensables. Il s'agit de réapprendre à détecter les alertes du corps dissimulées derrière la douleur, et à les prendre en considération. Chacun est à même d'essayer et de trouver la méthode qui lui convient. Notre guide se contentera de vous donner quelques conseils. À vous de voir ce qui vous soulage et vous correspond le mieux.

Les traitements classiques et les médecines parallèles ne sont pas incompatibles mais plutôt complémentaires.

Dos sain, dos malade

Au cours de l'évolution de la race humaine, le passage de la position quadrupède à la station bipède a profondément modifié la structure de la colonne vertébrale. L'homme était alors perpétuellement en mouvement. Il chassait, cherchait des sources de nourriture et des abris, et parcourait donc de longues distances sur ses jambes.

Notre vie moderne nous a peu à peu considérablement éloignés de ce mode d'existence. Nous marchons de moins en moins et restons souvent assis. Or, notre colonne vertébrale n'a pas été conçue à ces fins et souffre, par conséquent, du manque d'activité qu'elle doit gérer.

Ce chapitre se propose de vous donner d'abord toutes les informations anatomiques et techniques de la structure et de la fonction de la colonne vertébrale. Vous percevrez ensuite plus facilement les dysfonctionnements susceptibles de provoquer le mal de dos et comment traiter ce dernier.

LA COLONNE VERTÉBRALE, ÉPINE DORSALE DU CORPS

La colonne vertébrale constitue l'épine dorsale de notre corps. C'est elle qui nous permet de nous tenir debout et de marcher. Cet axe central a plusieurs fonctions. Il confère au corps sa stabilité, permettant au tronc une multitude de mouvements, notamment de flexion avant et arrière et de rotation. Il protège également la moelle épinière, conduisant tous les influx nerveux du cerveau vers le corps. La colonne vertébrale est composée d'une structure osseuse, de disques intervertébraux, d'articulations et de ligaments, de muscles et de nerfs. Et c'est le bon agencement de tous ces éléments qui garantit son bon fonctionnement.

LA STRUCTURE OSSEUSE

Les vertèbres sont souples et stables

La colonne vertébrale n'est pas conçue comme un simple tuyau. La nature a mis au point un système complexe composé de parties mobiles, formant un ensemble stable de 24 vertèbres osseuses s'empilant les unes au-dessus des autres. Les sept premières sont les vertèbres cervicales. Viennent ensuite les douze vertèbres dorsales,

Vertèbre en coupe horizontale et en vue latérale.

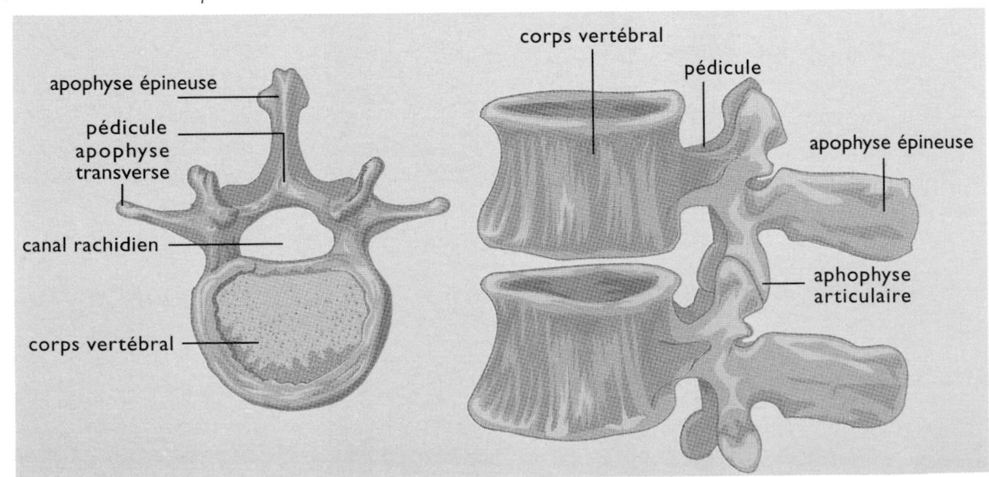

suivies des cinq vertèbres lombaires. En dessous se trouve le sacrum, composé de cinq vertèbres soudées, reliant la colonne vertébrale au bassin. Le rachis s'achève enfin par le coccyx, os formé de quatre petites vertèbres soudées entre elles, sorte de queue atrophiée, relique d'une époque ancestrale.

Dès que le corps entre en mouvement, la colonne vertébrale subit de haut en bas les forces de pesanteur. Lorsque le corps porte ou tire, c'est la partie inférieure de la colonne vertébrale qui travaille le plus. Les vertèbres inférieures sont donc incontestablement plus puissantes que les autres. Chaque vertèbre est constituée d'un corps vertébral dirigé vers l'avant du tronc et d'un pédicule, à l'arrière, disposé en arrondi autour du canal rachidien, réservé à la moelle épinière. À son extrémité se trouve l'apophyse épineuse que nous pouvons sentir lorsque nous faisons glisser nos doigts le long de notre colonne. Elle est encadrée de chaque côté par une apophyse transverse, prolongée en haut et en bas par l'apophyse articulaire s'emboîtant dans la vertèbre suivante.

Chez l'homme, la colonne vertébrale est composée de sept vertèbres cervicales, de douze vertèbres dorsales, de cinq vertèbres lombaires, du sacrum et du coccyx.

Les courbures naturelles de la colonne vertébrale

La colonne vertébrale n'est pas parfaitement droite et rigide. Elle forme des courbures en s, orientées vers l'avant dans les régions cervicale et lombaire, et vers l'arrière dans les régions dorsale et sacrée. Les courbures à convexité antérieure sont des lordoses et les courbures à convexité postérieure, des cyphoses. Elles confèrent à l'épine dorsale son degré d'élasticité, lui permettant de se protéger naturellement lors de mouvements brusques.

Les courbures naturelles de la colonne vertébrale sont appelées lordoses et cyphoses.

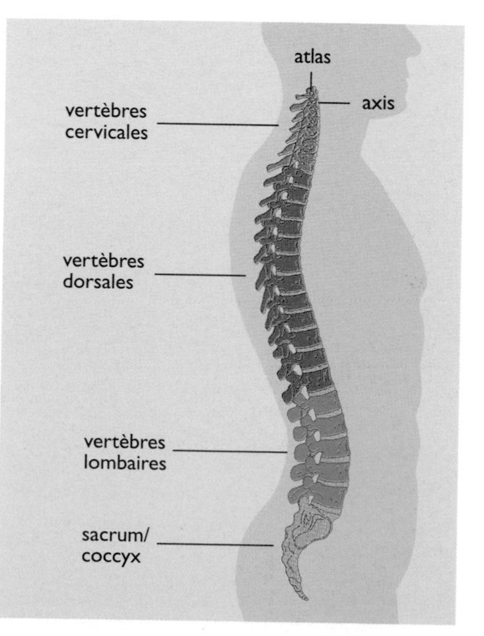

Mais si elles sont trop faibles ou trop accentuées, elles deviennent pathologiques, occasionnant une souplesse ou au contraire une rigidité trop importantes de la colonne vertébrale. Pour en savoir plus, se référer à la page 38.

Le tissu osseux

Le tissu osseux est constitué d'une trame à la fois molle et spongieuse. Les « trous de cette éponge » sont remplis d'une substance très dure et minérale, à base de phosphore et de calcium. C'est cette matière souple et résistante qui confère à l'os son élasticité et sa stabilité.

Chez les enfants, le tissu osseux est très abondant. Les os sont de ce fait particulièrement souples, et cassent plus rarement que ceux des adultes. Mais ils sont aussi plus malléables, exposant la colonne vertébrale des jeunes à des déformations durables comme la cyphose ou la scoliose.

La substance osseuse d'un corps adulte permet, en revanche, à la colonne vertébrale de mieux supporter les sollicitations du quotidien. Mais à partir de la trentaine, elle a tendance à diminuer, favorisant davantage les fractures chez les personnes plus âgées.

Le renouvellement du tissu osseux se ralentit progressivement, puis l'usure définitive prend le pas.

La structure des os se modifie au fil des années.

Des os bien portants

Le tissu osseux se renouvelle en permanence. Il est donc toujours possible d'agir sur lui, sachant qu'un os se renouvelle intégralement tous les vingt ans. Une alimentation saine et riche en calcium favorise le développement de l'os, et l'on peut combler les manques en se nourrissant régulièrement de produits laitiers. Il faut savoir que le poisson, le soja, les épinards et les noix contiennent aussi beaucoup de calcium. Les prescriptions de calcium sous forme de comprimés effervescents s'adressent essentiellement aux patients souffrant d'ostéoporose ou bien aux femmes après le cap de la ménopause.

Les sports d'endurance ou encore la marche rapide favorisent également le développement de l'os, car à l'instar du muscle, il a besoin d'entraînement régulier. À défaut, il perd en substance. C'est le cas notamment des astronautes qui restent un certain temps dans l'espace en situation d'apesanteur, sans pouvoir faire d'exercice physique.

Lors de la ménopause, les femmes subissent une modification hormonale. Les œstrogènes, hormones de la féminité participant au renouvellement du calcium des os, sont produits en moindre quantité. Les os sont alors fragilisés et plus aptes à la fracture. Le gynécologue peut être amené dans certains cas à prescrire des hormones afin de ralentir ce processus.

Pour en savoir plus sur l'ostéoporose, se référer aux pages 40 et sv.

La pratique d'exercices physiques adaptés aide également à freiner l'usure osseuse.

LES DISQUES, LES ARTICULATIONS ET LES LIGAMENTS

Les disques intervertébraux

Notre épine dorsale compte 23 disques intervertébraux disposés entre chacune des vertèbres. Ils ont principalement une fonction d'amortisseurs, et sont composés de deux éléments. La partie périphérique est un anneau de fibres cartilagineuses (Anulus fibrosus), relié aux corps vertébraux supérieur et inférieur. Sa partie centrale (Nucleus pulposus) est une substance consistante et gélatineuse. Or, cet « oreiller interne », faisant office d'éponge, est capable d'évacuer de l'eau lorsque la colonne vertébrale est sollicitée, et d'en absorber lorsque celle-ci est au repos.
Chez l'enfant, la teneur en eau est de 80 %. Elle va en décroissant avec l'âge, et le disque perd progressivement en élasticité et en épaisseur. C'est ce phénomène qui explique, en partie, le fait que les personnes âgées rapetissent. Le disque intervertébral perd également de l'eau au fil de la journée et donc de l'épaisseur, ce qui signifie que nous sommes plus grands le matin que le soir (de 2 cm environ). Il réabsorbe de l'eau pendant la nuit.

Les disques intervertébraux ont une fonction d'amortisseurs.

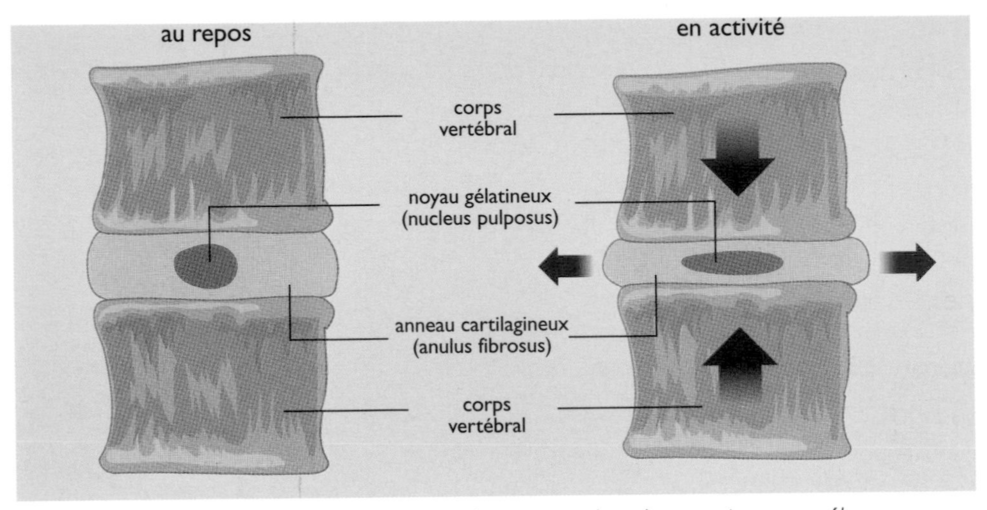

L'anneau cartilagineux et la matière gélatineuse des disques intervertébraux ont une importante teneur en eau.

L'absorption de liquide pendant le sommeil permet, en outre, l'alimentation du disque, celle-ci n'étant pas assurée par les vaisseaux sanguins. Des changements réguliers de position pendant la journée et une bonne nuit de sommeil sont indispensables au repos des disques intervertébraux. Les besoins de sommeil sont variables d'un individu à l'autre, mais il faudrait raisonnablement dormir entre six et huit heures par nuit. Lorsque l'on doit rester plusieurs heures assis derrière son bureau, il est bon de faire des petites pauses régulières, permettant de marcher un peu et de faire une gymnastique simple, favorisant la régénération des disques. Des exercices de détente faciles à faire sont indiqués page 139 et sv.

La nuit est l'un des moments les plus favorables au repos des disques.

Tension et repos

Certaines postures favorisent la détente des disques, d'autres leur demandent un effort important et devraient être de courte durée. La position couchée, le dos à plat sur le sol avec un oreiller placé sous les omoplates, leur procure un repos optimal. C'est également la position la plus appréciée des gens qui souffrent d'un mal de dos aigu, car les vertèbres lombaires sont alors complètement détendues. À l'inverse, lorsque nous nous plions en deux, nous sollicitons les disques au maximum.

Les articulations vertébrales

Les articulations unissent les os les uns aux autres et leur permettent d'être mobiles. Au niveau des vertèbres, elles sont disposées par paires entre les pédicules, et sont composées de la surface articulaire de deux vertèbres superposées.

Comme partout ailleurs dans le corps, les surfaces articulaires de la colonne vertébrale subissent constamment des frictions. Elles sont donc recouvertes d'une substance lisse, le cartilage, qui facilite les glissements. Or, le corps ne peut réparer lui-même un cartilage endommagé, de sorte que les douleurs qui s'ensuivent sont persistantes. La capsule articulaire constitue l'enveloppe de l'articulation, composée de plusieurs couches fibreuses et résistantes. La couche la plus profonde de la capsule sécrète un liquide transparent et visqueux, faisant office de lubrifiant (synovie). Ce liquide est également chargé d'alimenter le cartilage, fonctionnant indépendamment des vaisseaux sanguins. L'inflammation d'une articulation génère une forte production de liquide, provoquant un épanchement responsable d'un gonflement articulaire.

Les articulations supérieures de la colonne vertébrale, situées entre la première et la seconde vertèbre cervicale, sont conçues différemment. Elles président à tous les mouvements de la tête. La première vertèbre est l'atlas, nom d'un personnage de la mythologie grecque qui porte la terre sur ses épaules. Or, notre atlas cervical porte effectivement la tête sur ses apophyses articulaires, permettant à celle-ci de bouger d'avant en arrière. La seconde vertèbre cervicale est l'axis, qui signifie axe. Elle comporte une apophyse dressée autour de laquelle la vertèbre supérieure, et donc la tête, peuvent effectuer des mouvements de rotation. C'est grâce à l'action particulièrement efficace de nos cervicales, que nous pouvons tourner la tête à droite et à gauche, l'incliner d'avant en arrière et mouvoir notre cou.

À l'inverse, les vertèbres dorsales sont plus rigides. La raison en est simple : associées aux côtes et au sternum, elles participent à la formation de la cage thoracique qui protège les organes internes essentiels que sont le cœur et les poumons. Les mouvements de rotation sont donc limités.

Grâce aux vertèbres atlas et axis, nous pouvons bouger la tête.

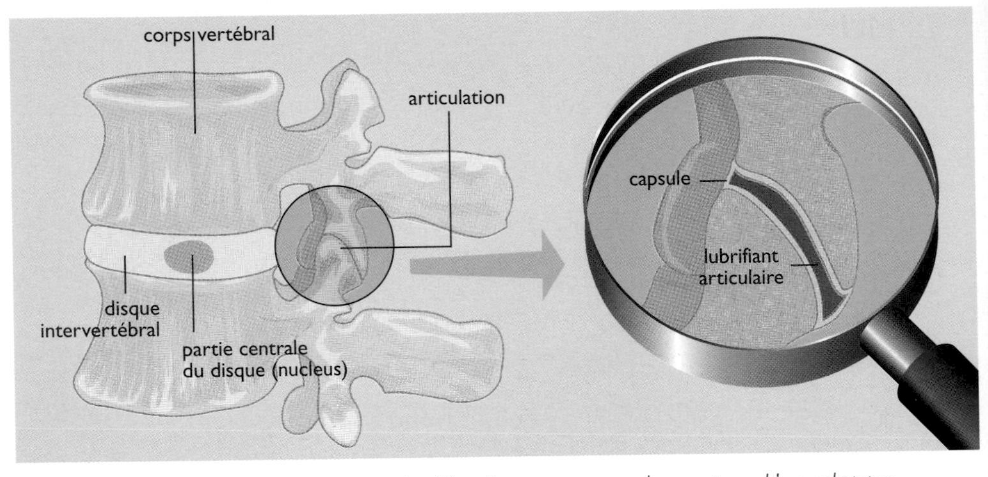

Les apophyses vertébrales sont articulées les unes avec les autres. L'enveloppe externe forme une capsule qui sécrète une substance transparente et visqueuse.

C'est le secteur des vertèbres lombaires qui autorise les principaux mouvements de flexion, d'extension et de rotation du tronc. Il préside à lui seul à 80 % de tous les mouvements du corps. Les quatrième et cinquième lombaires en effectuent 20 %, tandis que 60 % d'entre eux reposent sur la cinquième lombaire et la première vertèbre du sacrum. Le coccyx et le sacrum sont en soi très peu mobiles et relient la colonne vertébrale au bassin. On l'aura compris, les vertèbres lombaires du rachis sont les plus sollicitées.

La plupart des hernies discales -déplacement du nucleus- ont lieu entre la dernière lombaire et la première sacrée. Une flexion naturelle associée aux efforts d'étirements et de compression ainsi qu'à une importante pression statique exposent davantage les os et les disques de ce secteur vertébral.

Les ligaments

Les ligaments sont de longs rubans de fibres de longueurs différentes, qui soutiennent et protègent les articulations et courent le long des corps vertébraux. Ils permettent une certaine liberté de mouvement et protègent les articulations des problèmes de luxation. L'une des plus courantes est la luxation de l'épaule, où un coup porté sur cette articulation fait sortir l'os du bras (l'humérus) de sa cavité articulaire. Les pathologies sont souvent provoquées par une absence d'activité physique à l'origine du raccourcissement des ligaments, ou par des excès sportifs (danse) qui les affaiblissent et les rendent douloureux, dans les deux cas.

Les phénomènes d'usure sont fréquents au niveau des vertèbres lombaires. Une conséquence de la station verticale.

LES MUSCLES

Les muscles sont constitués de plusieurs gaines de tissu conjonctif contenant de longues fibres, capables de se contracter ou bien de se relâcher. Il sont fixés au squelette et donc aux os par les ligaments, et les actionnent en se contractant.

Une partie de nos muscles, notamment ceux du tronc, a une fonction de maintenance. Ils sont donc aptes à résister longtemps lorsque le corps adopte une position peu confortable. L'autre partie est destinée à accompagner les mouvements rapides du corps. Ces muscles-là sont moins résistants sur la durée. Ce sont notamment ceux de nos bras et de nos jambes.

Les muscles du dos

Les muscles du dos sont divisés en trois grands groupes.

La couche la plus profonde est composée de muscles courts et résistants qui relient deux corps vertébraux entre eux. Leur principale fonction est de maintenir chaque vertèbre pour stabiliser la tenue générale du dos.

Le second groupe comprend des muscles en forme d'éventail, qui recouvrent les précédents, les débordent et courent le long de la colonne vertébrale. Ils traversent le dos depuis le bassin jusqu'à l'arrière de la tête en suivant un trajet le long des vertèbres et des côtes. Ils sont destinés à permettre au corps de se protéger et de se redresser.

L'ensemble des muscles superficiels constitue le troisième groupe et comprend des muscles larges formant un losange, qui s'étendent des apophyses vertébrales à l'épaule d'une part, et à la hanche d'autre part. Ils servent à relier la partie épaule-bras et la partie hanche-jambe à la colonne vertébrale, et permettent le maintien de la colonne vertébrale lorsque les bras et les jambes bougent simultanément. Le tronc reste stable, même lors du port de charges lourdes.

Les muscles du dos sont placés de manière inversée à gauche et à droite de la colonne vertébrale. Quand un bras ou une partie du corps est plus fortement sollicitée, les muscles du côté droit et du côté gauche ne travaillent pas en proportion égale. C'est le cas notamment lorsque l'on porte un sac lourd toujours du même côté.

Les muscles servent à maintenir le corps ou bien à le mouvoir.

Les muscles abdominaux

Les muscles abdominaux et les muscles dorsaux sont des partenaires exerçant des fonctions antagonistes. Alors que les dorsaux font pression vers l'arrière sur la partie supérieure du corps, les muscles abdominaux font pression vers l'avant. Ils permettent ainsi à la colonne vertébrale de se courber en avant ou bien sur le côté, et occasionnent, en outre, les mouvements de rotation du tronc.

Ils ont aussi indirectement une fonction de maintien, en reliant la cage thoracique au bassin et en délimitant la zone abdominale. Lorsqu'ils sont sollicités, la paroi abdominale se tend et la pression augmente. C'est comme si la colonne vertébrale était soutenue à l'avant par un oreiller bien rembourré, soulageant ainsi les muscles dorsaux. Ceci explique la raison pour laquelle un relâchement des muscles abdominaux occasionne des problèmes de dos. Il nous faut donc absolument muscler aussi bien notre abdomen que notre dos.

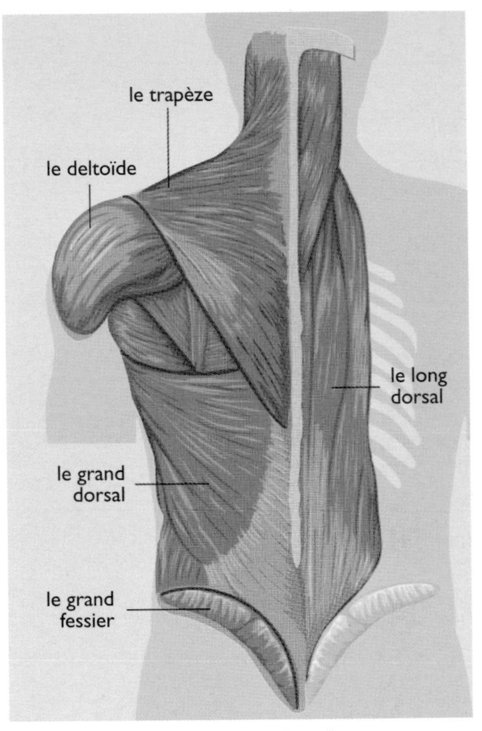

Ci-dessus, les muscles du plan superficiel (à gauche) et du plan moyen (à droite).

LE SYSTÈME NERVEUX COORDONNE L'ENSEMBLE

Notre corps a besoin d'un donneur d'ordre qui lui offre la possibilité de fonctionner dans sa globalité tout en permettant à chacune de ses cellules, muscles et organes de remplir les fonctions qui leur sont attribuées au bon moment. Ce donneur d'ordre est notre système nerveux. Celui-ci se divise en deux parties : le système nerveux central et le système périphérique.

Le système nerveux central comprend le cerveau et la moelle épinière, tandis que le système périphérique est formé de tout le réseau des nerfs qui se ramifient dans la totalité de notre corps, jusque dans nos organes et nos muscles.

La circulation de l'information se fait dans les deux sens. Les ordres donnés par le cerveau sont communiqués au corps par l'intermédiaire de la moelle épinière et des nerfs, déclenchant des mouvements ou bien pilotant la fonction d'un organe. Mais dans le sens inverse, le cerveau collecte les informations provenant de toutes les parties du corps qu'il analyse et qui lui permettent de réagir. C'est le cas des douleurs, par exemple.

Le système nerveux central, dont le rôle est primordial, est protégé par une couche osseuse. Le cerveau est ainsi mis à l'abri des coups grâce au crâne, et la moelle épinière grâce aux vertèbres. Si, lors d'un accident grave, la colonne vertébrale est très endommagée et la moelle épinière atteinte, le vecteur d'informations est localement interrompu. Il en résulte dès lors une paraplégie (paralysie des deux membres inférieurs).

La moelle épinière s'étend de la base du crâne à la hauteur de la première vertèbre lombaire, et descend dans le canal rachidien. De chaque vertèbre, deux nerfs rachidiens sortent de part et d'autre, traversant les trous de conjugaison, orifices latéraux percés entre les vertèbres, et se distribuent dans le reste du corps.

En dessous de la première vertèbre lombaire, la moelle épinière est remplacée dans le canal rachidien par une masse de fibres nerveuses, que l'on appelle queue de cheval (Cauda equina), étant donné son aspect. De là sortent également de part et d'autre des nerfs rachidiens qui se ramifient dans le corps.

Les nerfs rachidiens qui s'échappent de part et d'autre de la colonne vertébrale à la hauteur de la moelle cervicale se ramifient dans les deux bras et dirigent tous les influx nerveux des bras et des mains.

Les nerfs émergeant des vertèbres dorsales alimentent toute la zone du tronc.

La moelle épinière et les nerfs rachidiens permettent au cerveau d'échanger des informations avec l'ensemble du corps.

Comment porter secours lors d'une blessure à la colonne vertébrale ?

Une victime supposée avoir été blessée à la colonne vertébrale ne devrait en aucun cas être bougée, exception faite si elle est dans une situation critique, dans une voiture en feu par exemple. Il faut d'abord, dans ce cas, la mettre hors de danger. Sinon, un simple mouvement de la victime, dont la moelle épinière est endommagée, suffit à rompre définitivement une connexion restée intacte. Lors d'un accident de moto, il ne faudrait pas ôter le casque de la victime, si celle-ci est encore consciente. Mais si elle est sans connaissance et ne respire plus de manière autonome, les sauveteurs doivent procéder en priorité à la réanimation.

Certains d'entre eux, que l'on appelle nerfs intercostaux se ramifient le long des côtes. Les nerfs rachidiens qui sortent des lombaires et du sacrum dirigent les influx nerveux des hanches, du bassin et des deux jambes.

Certains nerfs émergeant d'un côté de la colonne vertébrale peuvent fusionner avec d'autres. C'est ce qui se produit dans le cas du nerf sciatique, résultant de l'union des nerfs issus des vertèbres lombaires et sacrées. Il traverse le bassin, longe la fesse puis la face postérieure de la cuisse et de la jambe, avant de descendre dans le pied. Si ce nerf est irrité ou bien comprimé, il en résulte une douleur aiguë. Des informations plus détaillées à ce propos vous sont communiquées à la page 20 et sv. de l'ouvrage.

LA DOULEUR EST UN SIGNAL D'ALERTE

L'importante mission de transmission de la douleur est assurée par les nerfs. La perception de la douleur est à la base d'un mécanisme de défense, dont le but est de détourner l'événement qui déclenche la sensation désagréable. Sur la peau, les organes, les articulations, ou dans les muscles, des récepteurs sensoriels réagissent aux facteurs déclencheurs de la douleur. Un signal électrique est transmis aux nerfs, qui l'envoient au cerveau, où la sensation désagréable est alors véritablement perçue. Le cerveau peut ensuite mettre en place un système de défense. Lorsque nous nous brûlons en touchant une plaque électrique, par exemple, la douleur ressentie par la main est transmise par le réseau nerveux à la moelle épinière, qui elle-même la communique au cerveau. Celui-ci analyse la stimulation et décide que la main doit être éloignée immédiatement de la plaque électrique.

Les nerfs de la moelle épinière sont organisés par paires. Celles-ci sont réparties sur l'ensemble du parcours de la moelle épinière.

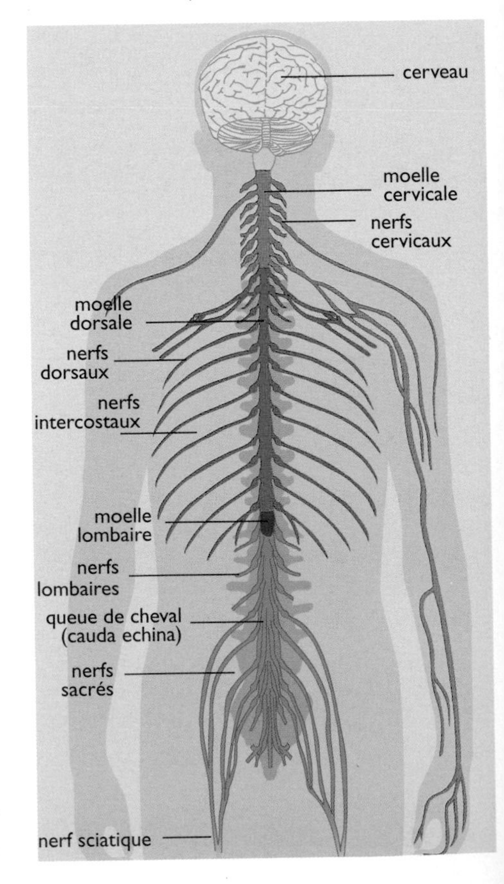

L'ordre qu'il donne fait le cheminement inverse. Il est transmis à la moelle épinière avant de parvenir aux nerfs du bras, ramifiés dans la main.
Celle-ci s'éloigne aussitôt de la plaque électrique. Quelques millièmes de secondes suffisent à la mise en place de cette succession complexe d'impulsions nerveuses.

On différencie deux types de douleur : la douleur aiguë et la douleur chronique. La douleur aiguë peut durer de quelques secondes à une semaine. La douleur chronique, générée par une pathologie, apparaît au bout de six semaines et peut se prolonger plusieurs mois. La douleur est un signal d'alerte émis en cas de blessure grave ou d'atteinte portée au corps. Elle a donc une cause bien définie qui peut être soignée directement dans la plupart des cas. La sensation désagréable aiguë est le symptôme d'une maladie ou d'une blessure. Si l'on souffre de maux violents provenant de la région de l'estomac, cela peut être symptomatique d'un ulcère. À l'inverse, la douleur chronique a perdu, dans presque tous les cas, sa fonction d'alerte. Il n'est souvent plus possible de lui attribuer une cause bien définie. La stimulation désagréable s'est isolée de la cause d'origine et s'est autonomisée.
En réalité, une douleur aiguë dont la cause est bien définie est souvent à l'origine d'une douleur chronique. Lorsque la cause n'est pas traitée dès le départ, la douleur persiste et se transforme en douleur chronique. C'est ainsi que l'on parvient fréquemment, dans le cas de problèmes de dos prolongés, à une réduction de la mobilité due à la tension musculaire. Le patient bouge beaucoup moins et adopte automatiquement des attitudes de compensation, qui intensifient la sensation douloureuse ou bien en génèrent de nouvelles. On parle alors de circuit de la douleur.

La douleur génère la douleur

La douleur chronique peut avoir d'autres causes. Les douleurs aiguës provoquent généralement chez le patient des sentiments d'anxiété, lui faisant redouter l'apparition de nouvelles sensations douloureuses ou bien appréhender de souffrir davantage. Il perçoit donc plus facilement et rapidement la moindre sensation désagréable. La douleur s'intensifie, tant au niveau psychique que physique, et de nouvelles connexions se forment, permettant une perception encore plus aiguë et rapide de la douleur.
Le patient est prisonnier d'un véritable cercle vicieux qui génère des réactions physiques à sa souffrance. Une douleur autonome apparaît alors qui s'inscrit au niveau psychique et physiologique (somatisation). Le cerveau enregistre le parcours de la douleur et il ne reste plus rien du déclencheur.

EN AVOIR PLEIN LE DOS

Quatre-vingt pour cent des gens souffrent du dos au moins une fois dans leur vie. La plupart de ces douleurs résulte d'une mauvaise tenue du corps. D'autres sont causées par des malformations congénitales du bassin et de la colonne vertébrale. Avec l'âge, l'usure de la colonne vertébrale est l'une des premières causes de troubles. De même peut apparaître une diminution de la masse osseuse entraînant une ostéoporose responsable de douleurs. Les problèmes de dos peuvent également résulter d'une inflammation de la colonne vertébrale, de tumeurs, de troubles du métabolisme, et bien sûr aussi d'accidents. Les causes sont donc multiples, et le diagnostic du médecin est essentiel au juste choix de la thérapie.

LES BONNES ATTITUDES SONT L'AFFAIRE DE CHACUN

La bonne tenue du corps est liée aux vibrations harmoniques de la colonne vertébrale lorsque nous sommes en station verticale. Notre maintien est dépendant de l'état de nos os, de nos muscles et de nos tendons, ainsi que de leurs interactions. Les muscles sont essentiels au corps quand il est en mouvement, tandis que les ligaments prennent le relais lorsque le corps est au repos. À partir de quel moment pouvons-nous dire que notre maintien n'est plus juste ? La réponse est différente pour chacun.

Il faut d'abord tenir compte de l'âge. Chez les enfants, le squelette est en plein développement et les os sont facilement malléables, tandis que les personnes âgées ont plus de mal à se tenir bien droites parce que leur force musculaire diminue.

Les douleurs physiques et psychiques sont étroitement liées. La thérapie des douleurs chroniques devrait toujours être conçue dans une globalité.

La faiblesse musculaire et le stress sont souvent à l'origine d'un mauvais maintien et de faux mouvements, provoquant à leur tour une irritation nerveuse et de nouvelles tensions.

Le maintien n'est pas seulement une affaire physiologique. Le psychisme est également très influent. Les gens heureux et bien dans leur peau expriment leur bien-être au travers de leurs attitudes corporelles. Le chagrin et les soucis transparaissent également dans notre maintien. Celui qui souffre de la solitude semble petit, et celui qui n'est pas sûr de lui regarde par en dessous ou baisse la tête. Les gens très grands sont souvent un peu voûtés, afin de paraître plus petits, tandis que les personnes de petite taille semblent plus grandes lorsqu'elles se tiennent bien droites.

PATHOLOGIE DU DOS OU MAUVAIS MAINTIEN

L'attitude « normale » est donc propre à chacun et dépend de l'âge. On peut parler de problème de maintien, lorsque l'on ne parvient à maintenir que le buste droit très peu de temps. Si l'on ne peut plus se redresser complètement, on parle de trouble statique. Il ne s'agit pas seulement d'une question d'esthétique, mais d'une véritable limitation des capacités, pouvant occasionner des douleurs et des difficultés respiratoires.

Le circuit de la douleur est un cercle vicieux

Au départ, nous avons une simple faiblesse musculaire. Puis, vivant une situation de contrainte psychologique ou physiologique, le stress par exemple, nous faisons un faux mouvement et ressentons alors une douleur vive dans le dos. Les muscles se durcissent afin de protéger la colonne vertébrale. Étant donné notre mauvaise posture, la douleur se développe lentement. La contracture du muscle augmente constamment. Il n'est alors plus suffisamment alimenté en oxygène. Les fibres nerveuses du dos sont irritées et la douleur s'intensifie. Nous réduisons donc notre mobilité et générons d'autres tensions qui occasionnent de nouveaux dysfonctionnements musculaires. La douleur devient plus aiguë encore.

Notre bien-être se reflète dans nos attitudes physiques.

Comment sommes-nous amenés à adopter de mauvaises attitudes ?

• Le mauvais maintien résulte fréquemment d'une faiblesse des tissus ou des muscles. Ceux-ci ne sont alors plus suffisamment puissants pour maintenir le dos droit. Les muscles abdominaux et les petits muscles de la couche profonde du dos sont surtout concernés dans ce cas. La surcharge pondérale accentue le problème.

• Certaines maladies congénitales ou non, atteignant les corps vertébraux, génèrent également de mauvaises attitudes. C'est le cas notamment de la maladie de Scheuermann, de la scoliose, de la fracture des corps vertébraux.

• Une mauvaise attitude résulte souvent du fait que l'on porte des charges trop importantes ou qu'une seule partie du corps est systématiquement sollicitée (port de sac ou d'enfant). La mauvaise position assise adoptée à l'école ou au travail est la cause la plus fréquente de problèmes de dos (voir page 73 et sv. comment s'asseoir correctement).

• Les douleurs aiguës et les tensions peuvent aussi provoquer des problèmes de maintien.
Certaines maladies comme l'arthrose du genou ou des hanches peuvent également nuire à la tenue du dos (voir page 42).

Comment faire de la prévention ?

Il suffit parfois de mesures très simples pour enrayer le cercle vicieux des faiblesses musculaires, du stress et des tensions. Il est d'abord absolument nécessaire d'être bien assis, au bureau, à la maison et à l'école. (Vous trouverez page 76 des indications sur les sièges ergonomiques).
Lorsque le travail exige d'être constamment assis ou debout, il faudrait changer de position de temps à autre. Après avoir été assis longtemps, il serait bon de faire quelques pas et de s'étirer. Il est important également que le corps ait son temps de repos et de sommeil. Ces besoins sont personnels à chacun, mais il faudrait compter entre six et huit heures de sommeil, sur un matelas et des oreillers bien adaptés. Le poids et l'alimentation sont aussi des facteurs influents.
Par ailleurs, il nous faudrait apprendre comment porter correctement les objets lourds et comment ménager notre colonne vertébrale au maximum dans le cadre de toutes les activités quotidiennes, à la maison, au travail et dans le jardin.

Le psychisme a des effets sur le maintien car il influence la tension musculaire. Les problèmes d'énergie, les angoisses et les dépressions s'expriment au travers de l'attitude du corps.

Un miroir qui dit tout

Pour pouvoir juger de la justesse de votre maintien, positionnez-vous devant un miroir en pied et suivez les consignes suivantes :

- Écartez légèrement vos pieds l'un de l'autre.
- Répartissez équitablement votre poids sur les deux jambes.
- Pliez légèrement les jambes.
- Imaginez que vous êtes une marionnette que l'on tire par le plus haut point de la tête.
- Vous vous tenez bien droit. Le bassin est redressé, les épaules sont relevées et forment une ligne droite. Les bras sont légèrement tournés vers l'extérieur. Ils pendent, détendus, de chaque côté du corps.

Vous vous tenez maintenant dans une position tout à fait exacte !

L'idéal est de pratiquer des exercices quotidiens adaptés au dos et aux muscles abdominaux. Avant de commencer cet entraînement, il serait préférable de faire le point avec son médecin, afin d'éliminer toute autre cause pathologique. Il existe des exercices bien précis destinés à muscler la sangle abdominale et le dos. Ceux-ci devraient d'abord être expliqués et dirigés par un thérapeute avant d'être effectués quotidiennement à la maison, tout seul. Il faut, avant tout, procéder régulièrement à l'étirement des tendons et des muscles.

Jugez votre maintien dans le miroir et corrigez vous-même votre attitude corporelle.

Le chapitre « Un dos tonique et robuste », page 109 et sv., vous propose toute une série d'exercices. En outre, et pour bien commencer, il est essentiel d'avoir une juste perception de son corps, d'être à son écoute et de prendre du temps pour cela, même si notre vie quotidienne nous en laisse peu la possibilité. Notre repos intérieur en est extrêmement dépendant. Le training autogène, le yoga et la détente progressive des muscles de Jacobson sont de bons moyens de nous recentrer sur notre propre corps.

En général, la pratique du sport est importante. Elle est souvent très bien vécue dans le cadre d'un groupe de personnes animées des mêmes envies que vous. Lorsque vous dansez, nagez ou bien que vous effectuez des mouvements de gymnastique, pensez également à stimuler votre esprit. Les bien-être physique et moral sont indissociables. L'essentiel est d'avoir un esprit sain dans un corps sain.

LES DÉFORMATIONS PATHOLOGIQUES DE LA COLONNE VERTÉBRALE

Dans certains cas, les faiblesses de maintien ne justifient pas les douleurs ressenties dans le dos. Celles-ci sont causées en réalité par des déformations pathologiques de la colonne vertébrale et notamment par une malformation des corps vertébraux.

Les malformations des corps vertébraux

Le corps vertébral sain est décrit dans le chapitre précédent (page 20). Or, des troubles peuvent survenir dans le développement des corps vertébraux, notamment lorsque deux d'entre eux fusionnent, limitant la mobilité de la colonne. Dans la plupart des cas, ces malformations n'entravent pas la fonctionnalité de la colonne, car celle-ci présente une multitude de formes.

Le Spina bifida occulta

La plupart des malformations apparaissent sur ce qui sert de lien entre les différentes parties de la colonne vertébrale. Le *Spina bifida occulta* en fait partie.
Sa particularité réside dans le fait que dans la partie inférieure de la colonne vertébrale, le pédicule du corps vertébral n'est pas refermé, exposant ainsi la moelle épinière. Une telle malformation doit être diagnostiquée le plus tôt possible après la naissance. Si elle est importante, le nouveau-né est opéré tout de suite, afin de refermer le corps vertébral.

Les vertèbres peuvent se fracturer, fusionner et se déplacer.

La spondylolyse est une malformation qui se produit chez 6 % des gens. Il s'agit d'une fente ou d'une interruption de l'isthme de l'arc postérieur à la hauteur de la dernière ou avant-dernière vertèbre lombaire. Elle est congénitale ou dégénérative et apparaît souvent chez les sportifs qui pratiquent des exercices de flexion très soutenu vers l'arrière. C'est notamment le cas chez les gymnastes, les spécialistes du trampoline, les nageurs de papillon et les lanceurs de javelot.
Cette malformation est souvent découverte par hasard à l'occasion d'une radiographie. La mobilité accrue qu'elle occasionne peut provoquer des douleurs ou bien une usure de la colonne vertébrale et des disques intervertébraux. La kinésithérapie est alors prescrite et il est nécessaire de faire des exercices de musculation. Le corset permet également de stabiliser les lombaires et de soulager la douleur.

Dans certains cas, la vertèbre bascule vers l'avant. Ce glissement est un spondylolisthésis. Des douleurs peuvent alors survenir, que l'on soigne à l'aide de la kinésithérapie. Dans les cas plus graves, une opération permet de replacer et de fixer la vertèbre concernée. Les os iliaques qui relient la colonne vertébrale au bassin peuvent eux aussi être modifiés. Ils ont un rôle d'amortisseur et doivent empêcher les hanches d'être trop sollicitées. Ces os sont très peu mobiles. Une inflammation peut provoquer des douleurs dans les fesses et dans la cuisse. On les soulage par le massage et les anti-inflammatoires.

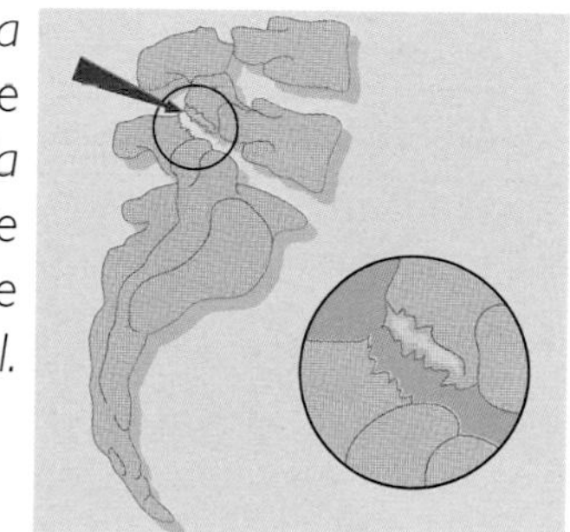
La spondylolyse est la rupture de l'isthme vertébral.

N° 1 : pédicule du corps vertébral sain.
N°2 et 3 : lors d'un spondylolisthésis, la vertèbre glisse vers l'avant.

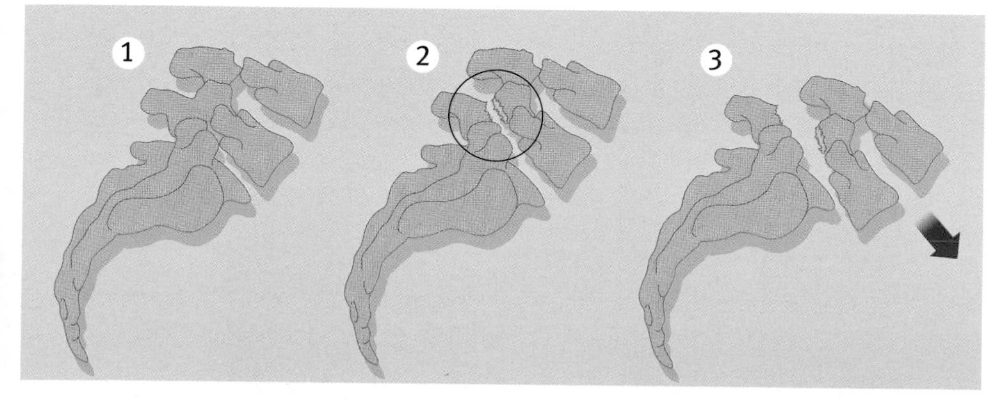

LES DYSHARMONIES DE LA COLONNE VERTÉBRALE

Chez certaines personnes, les courbures naturelles de la colonne vertébrale sont accentuées ou au contraire estompées.

Le dos plat ou l'effacement des courbures

On parle de dos plat lorsqu'il n'existe presque plus aucune courbure le long de la colonne vertébrale. Cette rectitude du rachis est une malformation congénitale. La colonne vertébrale est alors inapte à réagir aux chocs et à la pression, qui sont entièrement supportés par les disques intervertébraux et les os iliaques. Ceux-ci montrent chez les jeunes sujets des signes d'usure précoce, générant plus tard des douleurs. Il est essentiel, dans ce cas, de faire travailler régulièrement les muscles.

Une colonne vertébrale saine (1), un dos plat (2), une cyphose (3), une lordose (4).

Le dos rond ou la cyphose dorsale

Ce que l'on appelle cyphose dorsale est une accentuation de la courbure vertébrale au niveau des vertèbres dorsales. Elle peut être congénitale ou bien dégénérative après un accident ayant provoqué la fracture d'un corps vertébral. La gibbosité du bossu résulte d'une cyphose dorsale. Les vertèbres voisines peuvent également être fracturées consécutivement à une tuberculose osseuse, une inflammation, une fracture due à une chute, une tumeur ou encore à l'ostéoporose (diminution de la masse osseuse). Une faiblesse musculaire peut également être à l'origine d'un dos rond. C'est souvent le cas chez les sujets âgés. L'usure des disques vertébraux, la maladie de Scheuermann et la spondylarthrite ankylosante peuvent aussi générer une cyphose. La meilleure prévention réside dans une activité physique quotidienne et du repos.

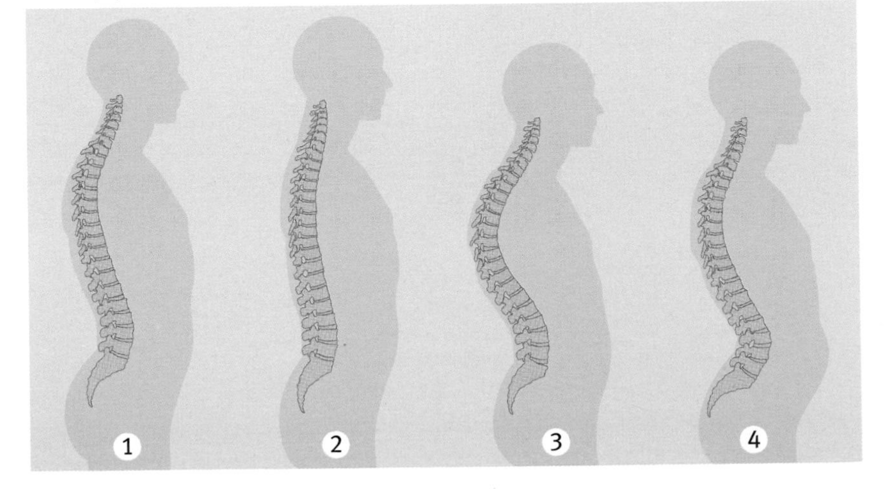

Le ventre en avant ou l'hyperlordose lombaire

L'hyperlordose lombaire est le contraire de la cyphose dorsale. Elle devient pathologique lorsque les courbures naturelles des cervicales et des lombaires sont nettement exagérées. Elle est généralement moins grave que la cyphose dorsale et résulte dans la plupart des cas d'un mauvais positionnement des os iliaques. Il est nécessaire de traiter le mal par la racine et de stabiliser la colonne vertébrale au niveau musculaire.

La maladie de Scheuermann

La maladie de Scheuermann porte le nom du médecin et radiologue danois, Holger W. Scheuermann, qui a décrit la maladie pour la première fois en 1921. C'est l'une des pathologies les plus fréquentes de la colonne vertébrale. Elle apparaît chez les adolescents et résulte d'une faiblesse des corps vertébraux et d'une lésion des tissus des disques intervertébraux dans la région des dorsales, plus rarement dans celle des lombaires.

La courbure naturelle de la colonne vertébrale est très accentuée dans le cas de l'hyperlordose lombaire. Les patients souffrant de surcharge pondérale et d'une faiblesse musculaire abdominale sont souvent sujets à ce problème.

Cette malformation se guérit à l'âge adulte, mais la fonction des dorsales reste durablement perturbée et cette partie de la colonne vertébrale s'incline avec le temps.

Les vertèbres dorsales sont douloureuses et les muscles du dos sont souvent contractés, générant une mauvaise attitude du dos qui voûte légèrement, tandis que les épaules ont tendance à avancer. Certains jeunes patients peuvent fatiguer plus rapidement. Le port d'un sac lourd ou la station debout prolongée peuvent les faire souffrir. Il est très important de tonifier la musculature et d'éviter de se tenir assis et debout de manière prolongée.

La scoliose

La scoliose est une affection de la colonne vertébrale caractérisée par l'apparition d'une courbure provoquant une déviation d'un côté ou de l'autre de la colonne vue de face. Cette pathologie était autrefois très répandue, mais aujourd'hui il est possible de la traiter dès son apparition. On en découvre la cause dans 10 % des cas seulement.

La maladie de Scheuermann apparaît à l'adolescence et peut perturber durablement certaines fonctions du dos.

La scoliose peut apparaître chez le nourrisson, l'enfant, l'adolescent ou l'adulte. Son évolution est propre à chaque patient. Dans certains cas, les plus rares, elle disparaît d'elle-même, mais le plus souvent elle empire au fil de la croissance et nécessite parfois une intervention chirurgicale.

Le traitement d'une scoliose est complexe. En plus de la pratique d'un sport favorisant le travail musculaire comme la natation ou l'athlétisme, les patients doivent être suivis régulièrement et effectuer quotidiennement, et sur une période relativement longue, des exercices de rééducation. Elle nécessite parfois le port d'un corset. On décide d'opérer en fonction du degré et de la rapidité d'évolution de la scoliose. La radiographie permet de mesurer son ampleur.

LES DÉFORMATIONS DE LA COLONNE VERTÉBRALE DUES À L'ÂGE

Avec l'âge, les signes d'usure et les signes de fatigue apparaissent sur toutes les parties du corps et notamment sur la colonne vertébrale.

Ce processus de vieillissement commence dès la vingtième année. Il s'agit d'un phénomène de dégénérescence, dont nous sommes tous destinés à supporter les conséquences, passé 60 ans. Lorsque le corps suit le cours normal du vieillissement, on ne parle pas de pathologie. Mais si le processus est accéléré, les patients perçoivent des douleurs plus ou moins intenses.

L'ostéoporose ou la diminution de la masse osseuse

L'ostéoporose est une fragilité des os. L'équilibre entre le vieillissement et la régénérescence de l'os est rompu, et provoque une diminution de la masse osseuse. Le même phénomène résulte du vieillissement « normal », mais plus tardif et en moindre proportion. Les os s'altèrent, le corps vertébral se réduit et les côtes s'affaissent. Ce processus peut aboutir à une fracture des corps vertébraux et à une déviation de la colonne vertébrale de même qu'à une diminution de la taille des patients.

On ne connaît pas exactement les causes de l'ostéoporose mais on sait qu'elle résulte d'un manque en calcium et en œstrogènes. Les femmes ayant franchi le cap de la ménopause sont plus touchées que les hommes. L'alcool, la caféine et la nicotine, de même qu'une mauvaise alimentation accélèrent l'évolution de la maladie.

La scoliose est une déviation de la colonne vertébrale d'un côté ou de l'autre. Cette pathologie était autrefois très répandue.

L'hyperthyroïdie et l'absorption de cortisone pendant plusieurs années, prescrite dans les cas d'asthme et d'inflammation chronique des intestins, favorisent aussi son développement.

Les personnes âgées qui restent de longues heures sans bouger, sont souvent touchées. Il faut savoir que les difficultés psychologiques, familiales ou professionnelles peuvent entamer le système immunitaire de l'os.

Que pouvons-nous faire pour lutter contre l'ostéoporose ?

Il est avant tout indispensable de faire diagnostiquer l'ostéoporose par un médecin, qui se chargera de faire mesurer la densité de l'os par un examen appelé l'ostéodensitométrie. Il est ensuite possible de lutter de plusieurs manières contre la maladie.

Une activité physique quotidienne douce et régulière permet de faire travailler les muscles et d'éviter les fractures. Il est préférable de supprimer tous les facteurs à risque comme l'alcool, la cigarette et la caféine. Une alimentation riche en minéraux est recommandée, de même que des aliments complets et des produits laitiers.

Pour les patients sujets aux douleurs, on prescrit une rééducation, des bains et des massages et un traitement médicamenteux pouvant contenir, seul ou associé :

- du calcium.
- de la calcitonine, une hormone thyroïdienne qui favorise la fixation du calcium dans les os et apaise les douleurs.
- de la vitamine D car elle favorise l'assimilation du calcium.
- des hormones (œstrogènes), qui ralentissent le vieillissement osseux.
- les Biphosphonates.

À chacun son combat

Le processus de vieillissement n'est évidemment pas réversible et il tout aussi impossible de modifier le patrimoine génétique et héréditaire de chacun.

Vous pouvez cependant favoriser votre bien-être et lutter contre la maladie en surveillant votre alimentation et en évitant la surcharge pondérale et les excitants. Adoptez les bonnes attitudes lorsque vous vous asseyez devant l'ordinateur et que vous vous installez au volant de votre voiture. Évitez au maximum les causes de stress, aussi bien dans votre travail que dans votre vie privée. Il faut savoir que des chaussures trop étroites et des talons hauts sont mauvais pour la colonne vertébrale.

La réduction lente et progressive de la masse osseuse au fil des années est un processus naturel. C'est seulement lorsque l'os perd beaucoup de sa densité que l'on diagnostique une ostéoporose.

Dans les cabinets orthopédiques, une personne sur deux se plaint de douleurs provenant de la colonne vertébrale, qui sont consécutives à des phénomènes d'usure. Il est donc important de bien comprendre le processus de dégénérescence si l'on veut lutter efficacement contre celui-ci.

Toutes les parties de la colonne vertébrale sont soumises au vieillissement, qu'il s'agisse des articulations, des ligaments, des disques intervertébraux, des capsules des articulations ou bien des os. Le processus d'usure des articulations est appelé arthrose.
On constate d'abord une usure des cartilages, puis une inflammation de l'articulation et enfin un enraidissement de l'articulation.

L'arthrose a plusieurs causes. Une trop forte surcharge pondérale ou bien une activité physique trop soutenue sont souvent à l'origine d'un surmenage chronique et d'une usure précoce des articulations. On ne la diagnostique qu'au moment de l'apparition de douleurs résultant de l'inflammation de l'articulation, ou bien lorsque la mobilité est réduite.

La discopathie

Les disques vertébraux ne sont pas non plus à l'abri de l'usure. Avec l'âge, le nucléus pulposus, noyau gélatineux, perd de sa teneur en eau et le disque, de sa hauteur. Ce n'est pas la dégénérescence en soi du disque qui provoque des douleurs, mais les conséquences qui en résultent, notamment l'instabilité, la pression exercée sur les fibres nerveuses comme dans le cas d'une hernie discale, ainsi que les perturbations mécaniques entre les articulations vertébrales. Le disque est alors moins efficace dans sa fonction d'amortisseur.

Une activité régulière au grand air permet aux os de rester jeunes et résistants.

La structure vertébrale devient moins stable, provoquant de petits déplacements des articulations, et leur usure aboutit finalement au phénomène d'arthrose. La discopathie se traduit sur les radiographies par un pincement du disque qui correspond à une diminution de l'espace entre les vertèbres.

La hernie discale

Lorsque le noyau gélatineux perd en élasticité, il se fissure et s'affaisse. L'anneau fibreux du disque s'assèche et, lors d'un faux mouvement se produit la hernie discale : le nucléus pulposus s'infiltre par une fissure des fibres sphériques et fait irruption dans le canal rachidien. Il peut comprimer un nerf.

Étant donné que ce phénomène d'usure est insidieux et discret, les patients souffrant d'une hernie discale, n'ont jamais été victimes de problèmes de dos auparavant. Si vous souhaitez en savoir plus sur la hernie discale, vous pouvez vous référer à la page 49 de cet ouvrage.

Le processus de vieillissement peut se généraliser à différentes parties de la colonne vertébrale.
L'arthrose articulaire peut générer une usure des disques vertébraux et inversement.

Les contractures musculaires

Lorsque le disque perd de sa hauteur, les muscles et les ligaments doivent fournir des efforts plus importants pour maintenir le corps vertébral dans la bonne position. Les muscles se contractent et se durcissent.

Nombreuses sont les douleurs apparaissant dans le dos qui sont avant tout des douleurs musculaires et non des affections en soi. Vous pouvez percevoir vous-même les contractures musculaires sous vos doigts lorsque vous massez le dos de quelqu'un.

Lors d'une hernie discale, le nucléus pulposus qui fait saillie peut comprimer un nerf.

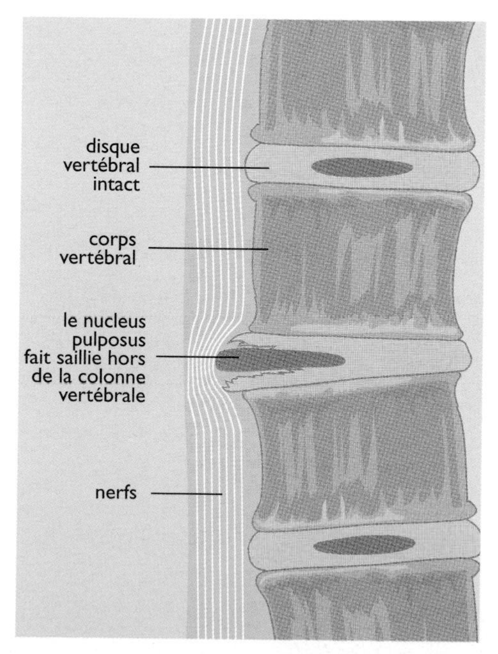

L'instabilité vertébrale

Les ligaments et les articulations entre deux vertèbres sont également constamment sollicités. Des douleurs apparaissent alors qui sont localisées dans le dos à la hauteur de l'articulation affectée. Il est fréquent que la douleur irradie vers l'abdomen, la fesse et la jambe. Pendant la nuit, le muscle se relâche et certaines parties du rachis peuvent glisser, de sorte que certains patients souffrent plus fortement le matin « comme si leur dos se brisait ».

Le lumbago

Une perturbation du mouvement des corps vertébraux peut occasionner des douleurs aiguës. C'est ce qu'on appelle le lumbago. Les corps vertébraux peuvent devenir trop mobiles ou bien au contraire se bloquer. Le lumbago n'est pas seulement une conséquence du processus de dégénérescence, mais il peut survenir sur un dos sain trop brutalement sollicité. Il peut également résulter d'un déplacement des disques intervertébraux.

Vous trouverez des informations détaillées à propos du lumbago, des causes possibles, des symptômes et des thérapies à partir de la page 47.

Les maux de dos sont souvent caractérisés par une contracture musculaire.

Vous apprendrez aussi comment réagir si vous êtes victime d'un lumbago et comment venir en aide à un proche.

Les excroissances osseuses (ostéophytes)

Étant donné que la fonction d'amortisseur des disques intervertébraux usés et fragiles s'est amoindrie, les os sont davantage sollicités.

Le corps a la capacité de s'adapter à de nouvelles situations et il en va de même pour les os. Ceux-ci réagissent alors en formant des excroissances ou ostéophytes en forme de bourrelets ou de boucles que l'on peut très bien identifier sur les radiographies. Elles ne causent souvent aucune douleur.

Le rétrécissement du canal rachidien

Les disques intervertébraux et les corps vertébraux situés à proximité sont fréquemment victimes du processus de dégénérescence.

Au fil du temps, les corps vertébraux se rapprochent les uns des autres et deux vertèbres voisines finissent par se souder entre elles, provoquant un enraidissement « apaisant », dans la mesure où il met fin aux douleurs générées par chaque mouvement.

Lumbago signifie littéralement « paralysie lombaire » et vient du latin « lumbus », les lombes.

Cette modification osseuse peut cependant occasionner un rétrécissement du canal rachidien et une compression des nerfs de la moelle épinière. Il est possible aussi que les disques intervertébraux et les modifications des longs ligaments compriment la moelle épinière, provoquant de sérieuses perturbations qui aboutissent dans certains cas à une paralysie.

Pour faciliter le parcours de la moelle épinière, le patient à tendance à se pencher automatiquement en avant. Il privilégie alors la position assise à la position couchée, même la nuit. La marche est également douloureuse. Si les thérapies classiques et les massages n'apportent aucun soulagement, il devient indispensable d'opérer le canal rachidien afin de l'élargir.

LES DOULEURS DES DIFFÉRENTS ÉTAGES DU RACHIS

Les paragraphes suivants sont consacrés aux causes des problèmes de dos dans les régions cervicale, dorsale et lombaire, à leurs symptômes et à la manière dont on peut les traiter. Les maux de dos ne résultent pas toujours de phénomènes d'usure. Ils peuvent être provoqués par des inflammations, des fractures, des irritations nerveuses et des problèmes circulatoires.

Sachons par ailleurs que le psychisme peut également accentuer ou bien atténuer les douleurs.

Les douleurs cervicales ou cervicalgies

Les douleurs cervicales ont plusieurs causes. Une grande partie d'entre elles résultent de blocages vertébraux, parfois aussi de phénomènes d'usure et de problèmes circulatoires. Une artère suit son cours en direction du crâne, des deux côtés des sept vertèbres cervicales. C'est l'artère carotide qui irrigue le cerveau. Les déformations et blocages vertébraux peuvent, dans cette zone, provoquer, de réelles difficultés circulatoires.

Des fibres nerveuses suivent l'artère carotide, tandis que d'autres se propagent le long du rachis. Ces nerfs font partie du système neurovégétatif que l'on ne peut évidemment pas modifier délibérément. Celui-ci coordonne les différents organes, la respiration, la digestion, le métabolisme et le système hormonal.

Les excroissances osseuses sont une réaction d'adaptation du corps. Elles occasionnent quelquefois des maux de dos chroniques.

Une affection nerveuse à la hauteur des cervicales peut générer toutes sortes de maux comme des vertiges, nausées, bourdonnements et sifflements d'oreilles, dysfonctionnements de la vue, tachycardie et bouffées de chaleur. Certains patients se plaignent de migraines et de douleurs de la nuque. Les sens peuvent aussi être affectés et les sensations du toucher modifiées.

En outre, les blocages consécutifs à une instabilité des corps vertébraux ou à un accident, les hernies discales à la hauteur des cervicales inférieures et le rétrécissement du canal rachidien affectent le fonctionnement des cervicales. On constate aussi des irritations nerveuses et des contractures musculaires, un raidissement de la nuque et une diminution de la mobilité de la colonne vertébrale. Lorsque la dernière cervicale est atteinte, les douleurs irradient de la nuque aux épaules, et du bras à la main. Il s'agit alors d'une névralgie cervico-brachiale.

Comment se soigner

La plupart des douleurs provenant de la zone cou-nuque-épaules peuvent être soulagées par les méthodes classiques.

- Le médecin peut prescrire des anti-inflammatoires et des analgésiques en fonction de l'importance de la contracture musculaire.
- Il peut faire appel à la chiropraxie.
- Il peut faire appel à l'acuponcture (p.152 et sv.)
- Il peut conseiller le port provisoire d'une minerve.
- Il peut recommander certains exercices médicaux.
- Il peut éventuellement recommander une thalassothérapie (p.149).
- Il peut aussi proposer un réchauffement des zones douloureuses par des bains chauds et une bouillotte.

Le torticolis

Le torticolis peut être causé par une mauvaise position prolongée pendant un long trajet au volant de sa voiture, une mauvaise attitude pendant le sommeil, un coup de froid ou un courant d'air, ou bien encore par des mouvements un peu trop brusques.

Il en résulte un blocage de certaines articulations vertébrales et des contractures musculaires très douloureuses, susceptibles de limiter les mouvements du cou. On peut remédier à un torticolis en ayant recours aux méthodes précédemment décrites.

La partie postérieure du cou, la nuque, est constituée de sept vertèbres cervicales et d'importants réseaux musculaires et nerveux.

LES DOULEURS DORSALES OU DORSALGIES

La colonne vertébrale au niveau des vertèbres dorsales est, du point de vue anatomique, relativement peu mobile. Les douleurs dorsales résultent du blocage des petites articulations vertébrales et des articulations des côtes. Étant donné la grande proximité du cœur, ces douleurs peuvent être facilement confondues avec celles qui sont suscitées par un infarctus.
L'inflammation des racines nerveuses situées entre les côtes peut également les provoquer : ce sont alors des douleurs intercostales. Elles surviennent par accès et sont localisées dans la région du nerf qui forme une ceinture autour de la cage thoracique. L'infection virale du zona peut également générer des douleurs dorsales. Le zona est reconnaissable aux petites vésicules éruptives parcourant la peau à l'endroit du nerf touché.
Toutes ces douleurs sont généralement traitées selon les procédés classiques : chiropraxie, réchauffements de la zone endolorie, médicaments et massages.

LES DOULEURS LOMBAIRES OU LOMBALGIES

Près de 70 % des maux de dos proviennent de la région lombaire, parce que c'est la partie la plus sollicitée du rachis. Le lumbago, le lumbago chronique appelé lombalgie et la douleur sciatique sont les affections les plus courantes. Elles sont décrites pages 48 à 52.

Le lumbago

Le lumbago est une douleur aiguë qui survient par crises dans la région lombaire.

Les causes peuvent être :

• Un blocage brutal provoqué par un déplacement de vertèbre.

• Un blocage des articulations iliaques (articulations reliant l'os du bassin à la colonne vertébrale) et les contractures musculaires qui en résultent.

Scanner permettant de visualiser les vertèbres lombaires et les disques intervertébraux.

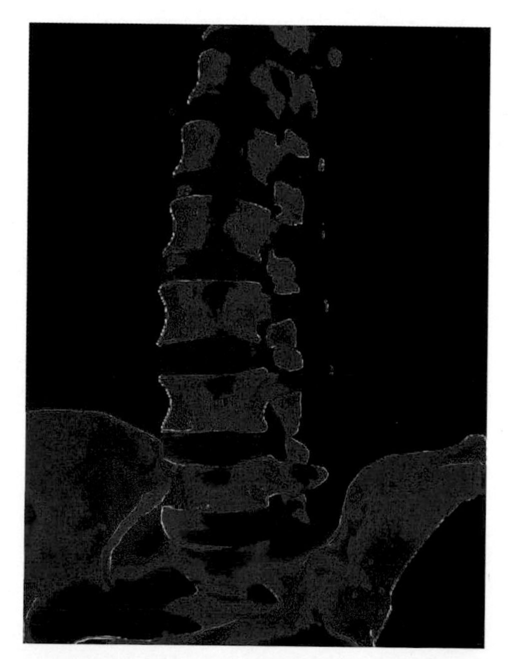

• Une excitation des racines nerveuses à la hauteur des petites articulations vertébrales.

• Un rétrécissement du canal rachidien dû aux os ou aux disques intervertébraux.

• Des contractures musculaires provoquées par la peur ou le stress (causes psychologiques).
Chez un patient, les douleurs peuvent résulter de l'une ou de plusieurs de ces causes. Lorsque la douleur survient, le corps réagit aussitôt. Il contracte les muscles de la région concernée pour protéger le dos et stopper la souffrance.

Les symptômes
• Douleurs aiguës à la suite d'un mouvement ou en se relevant.

• Blocage de la mobilité dû à une contracture musculaire, très forte d'un côté.

• La douleur est accentuée par le mouvement.

• La douleur peut irradier jusqu'en haut du dos et dans le bassin, mais rarement au-delà du genou.

Comment soigner ?
Que faire dans l'immédiat pour soulager une douleur aiguë ?
• S'allonger sur un lit.

• Prendre des anti-inflammatoires. Ils sont presque tous délivrés sur ordonnance.

• Réchauffements de la zone endolorie et massages. Enduire la partie douloureuse du dos d'huile aromatique ou de baume. Couvrir avec des compresses chaudes imprégnées de menthe, d'aiguilles de pin et de romarin.
Ces méthodes sont expliquées plus amplement à la page 64 de notre ouvrage.

Que faire lorsqu'un lumbago se produit à plusieurs reprises ?
Après avoir fait diagnostiquer le lumbago par un médecin, il est possible de prendre les mesures suivantes :

• Faire de la gymnastique médicale. Ces exercices simples peuvent être répétés régulièrement à la maison.

• Perdre du poids pour ceux qui souffrent de surcharge pondérale.

• S'entraîner au bon positionnement de son dos à la maison, au travail et pendant les moments de détente.

• Bains et massages.

• Maintien de l'ensemble du tronc par des bandages, etc.

Lors d'un lumbago, le corps réagit en contractant les muscles.

LES AFFECTIONS DES DISQUES INTERVERTÉBRAUX

Protrusion et hernie discale

Les disques intervertébraux, à l'instar du corps tout entier, sont soumis au processus de vieillissement. L'anulus fibrosus ou anneau fibreux, constitue le maillon faible du disque parce que le nucleus pulposus, substance gélatineuse à l'intérieur du disque, exerce sur lui une pression constante.
Au fil du temps, l'anneau fibreux s'use et se fissure, et il arrive parfois lors d'un effort plus important qu'il ne parvienne plus à contenir le noyau gélatineux, le laissant alors s'échapper hors de sa structure.
Cette expulsion peut se produire à plusieurs endroits du rachis et en quantité plus ou moins variable.

De plus, le canal rachidien et les nerfs émergents situés à proximité du disque sont souvent affectés. Il existe donc différents types de maladies du disque intervertébral :

• La protrusion discale :
Le nucleus pulposus se bombe, mais l'anulus fibrosus est encore intact.

• La hernie discale :
Le nucleus pulposus fait saillir hors de l'anulus fibrosus dans différentes directions.

• Le séquestre discal :
Clivage discal qui peut conduire à isoler un fragment de disque tendant à être refoulé vers l'arrière contre le ligament intervertébral postérieur.

Les deux corps vertébraux inférieurs sont très souvent atteints lors d'affections des disques intervertébraux. Les nerfs qui émergent à cet endroit du canal rachidien sont fréquemment irrités. Une grande partie d'entre eux se réunissent pour former le nerf sciatique, qui suit son cours le long de la fesse, de la cuisse et descend jusque dans le pied.

Une hernie discale peut se produire à n'importe quel endroit du rachis, mais les hernies les plus fréquentes sont diagnostiquées à la hauteur des vertèbres lombaires et sont souvent à l'origine de ce que l'on appelle une inflammation du nerf sciatique. Les disques situés à la hauteur des vertèbres cervicales sont beaucoup plus rarement affectés.

Vous trouverez à la page 63 de cet ouvrage toutes les informations nécessaires au sujet du soulagement de la douleur causée par une hernie discale.

La sciatique

La douleur sciatique apparaît lorsque les racines nerveuses sont comprimées. Elle est généralement déclenchée par une saillie postéro-latérale du disque intervertébral. Dans 90 % des cas, les deux vertèbres lombaires inférieures sont affectées.

La douleur diffère selon la localisation du pincement du nerf. Elle peut se limiter à la région des deux vertèbres concernées, mais elle peut également irradier dans la fesse, la jambe et jusqu'aux orteils. Elle se produit principalement dans une seule jambe. Les muscles de celle-ci ne fonctionnent plus correctement et peuvent même être paralysés. La jambe et le pied sont engourdis. Dans certains cas, elle correspond au signal d'alarme caractérisé par l'apparition d'une douleur lors de la percussion d'une vertèbre par le médecin.
Quoi qu'il en soit, la localisation de la douleur correspond rarement à celle du « pincement » nerveux.

Il est important de bien situer l'endroit exact de la hernie discale. Pour cela, le médecin teste les réflexes. Si le patient ne peut plus marcher sur la pointe des pieds, cela signifie que le nerf sciatique a été affecté à la hauteur des vertèbres sacrées. En revanche, si le talon est douloureux, le nerf est agressé à la hauteur de la dernière vertèbre lombaire.

Le nerf sciatique suit son cours le long de la face postérieure de la jambe et jusque dans le pied. Selon l'intensité de la douleur lors de l'élévation de la jambe, le médecin diagnostique s'il y a hernie discale ou non.

Le signe de Lasègue est essentiel : il s'agit d'une douleur sciatique provoquée par l'élévation de la jambe concernée, alors que le patient est allongé sur le dos. Plus l'angle d'élévation est petit, plus la sciatique est forte.

Les causes

• Protrusion ou bien hernie discale comprimant le nerf sciatique (page 49).

• Compression du nerf lors d'un écart du corps vertébral causé par des déformations osseuses (page 40).

• Gonflements des tissus entourant et « pinçant » le nerf, provoqués par les changements de temps, le froid, les inflammations ou bien une tumeur.

• Stockage d'eau dans la partie molle entourant le nerf chez les femmes enceintes.

• Inflammation des articulations vertébrales.

Les symptômes

• Douleur intense survenant dans la jambe accompagnée d'une contracture musculaire qui rend le patient incapable de se mouvoir.

• Accentuation de la douleur lors d'un changement de position, d'une toux, d'un éternuement ou bien en allant à la selle.

- Contractures musculaires.
- Douleurs lors d'efforts traumatisants.
- Douleurs survenant lors de mouvements effectués par la colonne vertébrale surtout lorsque le patient se penche en avant.
- Douleur dans la région de l'apophyse épineuse.
- Impressions d'engourdissement de la jambe.
- Faiblesse ou paralysie musculaire de la jambe affectée.

Le nerf sciatique suit son cours le long de la face postérieure de la jambe et jusque dans le pied. Selon l'intensité de la douleur lors de l'élévation de la jambe, le médecin diagnostique s'il y a hernie discale ou non.

Le traitement

Le choix du traitement est dépendant de la taille du patient, de son âge et de son état psychologique ainsi que de l'examen clinique.

Que faire pour apaiser les douleurs aiguës ?

- Il est conseillé au patient de se mettre dans la position de moindre douleur (position antalgique).
- Le médecin peut prescrire des anti-inflammatoires et des analgésiques permettant d'atténuer la douleur et de décontracter les muscles.
- Dans certains cas, le médecin peut faire des injections ou des infiltrations.

La hernie discale est la cause la plus fréquente de douleurs sciatiques.

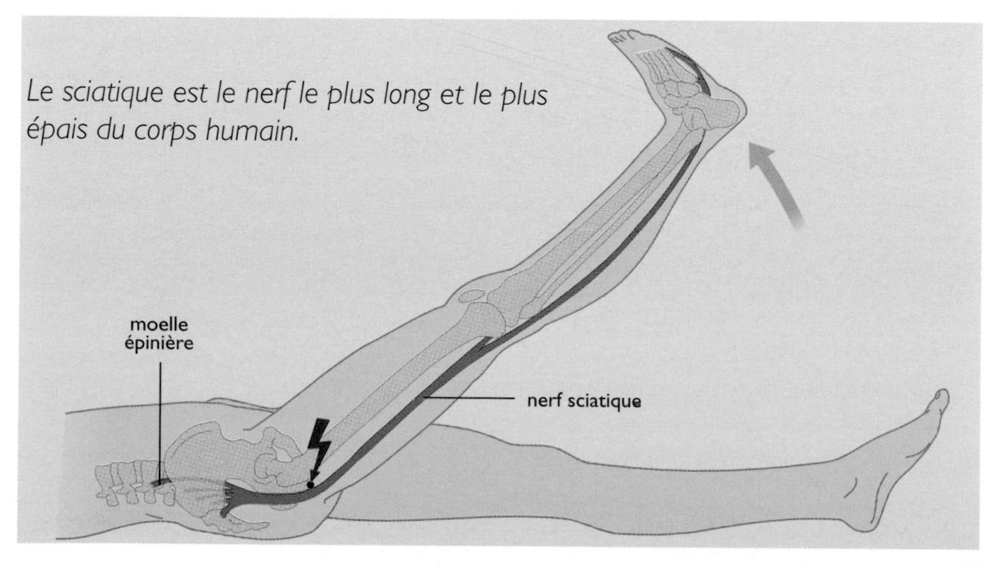

Le sciatique est le nerf le plus long et le plus épais du corps humain.

Que faire pour calmer les douleurs chroniques ?

Des bains de boue et des cataplasmes chauds (boue naturelle, fangothérapie...) ou / et des enveloppements chauds (page 64 et 149), ou / et de l'électrothérapie pour aider la douleur à régresser et accélérer l'irrigation sanguine, ou/et de la gymnastique médicale pour détendre les muscles et les tonifier, des étirements, des massages musculaires, dans certains cas porter un corset, et enfin faire de l'hydrothérapie.

Quelques cas rares de hernies discales doivent être opérés. Lorsque l'intervention est nécessaire pour supprimer la hernie qui comprime le nerf, on peut avoir recours soit à la nucléolyse chimique, qui consiste à injecter dans le disque une substance qui dissout les tissus devenus nocifs, soit à l'extirpation chirurgicale de ces mêmes tissus. Certaines pathologies bien définies se soignent de cette manière.

L'acte chirurgical devient urgent dans le cas du syndrome de la queue de cheval, se manifestant notamment par une paralysie des sphincters. Ce syndrome est provoqué par la compression des nerfs qui constituent la queue de cheval dans le canal médullaire lombaire. Il peut se manifester brutalement ou bien progressivement. Lors de paralysie d'un membre ou de douleurs chroniques très intenses que n'apaise aucun traitement, une opération chirurgicale peut effectivement être envisagée.

LES INFLAMMATIONS DE LA COLONNE VERTÉBRALE

Les infections dans la région de la colonne vertébrale sont rares. L'évolution des inflammations est toujours la même. Le système immunitaire réagit à un phénomène déclencheur, qu'il s'agisse d'une faiblesse immunitaire, d'une opération du dos, d'une tuberculose, de la spondylarthrite ankylosante ou de traumatismes. Le système immunitaire attaque alors le tissu. Les propres cellules de défense du corps pénètrent dans l'articulation et mettent en route le processus inflammatoire.

Au terme de ce processus, l'articulation peut être complètement détruite. Dans le cas d'un système immunitaire affaibli ou d'une opération du dos, des bactéries peuvent s'infiltrer par le sang dans les corps vertébraux et près des disques intervertébraux, risquant ainsi de déclencher une forte inflammation (spondylodiscite).

Les inflammations de la colonne vertébrale peuvent résulter d'un affaiblissement du système immunitaire, d'une opération du dos, de la tuberculose, de la spondylarthrite ankylosante ou encore de traumatismes divers.

Les douleurs sont violentes et intenses et ne s'apaisent aucunement lorsque le patient est au calme et allongé. Il est alors nécessaire de consulter rapidement un médecin, qui prescrira plusieurs semaines d'alitement et des antibiotiques. Dans certains cas, il faut opérer le foyer d'infection ou bien procéder à une extirpation chirurgicale.

La spondylarthrite ankylosante

La spondylarthrite ankylosante, aussi appelée maladie de Bechterew, est une maladie rhumatismale chronique. C'est l'un des processus inflammatoires les plus fréquents. Elle s'attaque en priorité aux articulations intervertébrales dans la région sacro-iliaque, évoluant vers une ossification progressive des ligaments et des petites articulations vertébrales.

Au stade terminal de la maladie, le rachis ne forme plus qu'un bloc rigide et ossifié ressemblant à la radiographie à une « colonne de bambou ». On ne connaît pas bien encore la cause exacte de cette maladie. On sait qu'elle a des similitudes avec certaines maladies rhumatismales et que des facteurs inflammatoires peuvent participer à son déclenchement. On sait aussi que des facteurs héréditaires peuvent intervenir, de même qu'une fragilité du système immunitaire. La spondylarthrite ankylosante touche surtout les hommes âgés de 20 à 40 ans.

Les symptômes

- Raideur matinale de la colonne vertébrale qui s'atténue dans le courant de la journée lorsque le patient s'active.
- Douleurs lombaires profondes, surtout le matin.
- Douleurs du dos irradiant dans le genou, douleurs dans les hanches et dans les articulations des épaules et des mains.
- Sueurs nocturnes, douleurs fugaces au talon, inflammations oculaires et de la vessie.

Les traitements

- Le traitement médicamenteux peut apaiser les douleurs aiguës et la cortisone calmer les inflammations.
- La thérapie active du mouvement permet de conserver la mobilité de la colonne vertébrale et de corriger le maintien.
- Les bains chauds et les cataplasmes servent à détendre les muscles et apaiser la douleur, de même que les bains de boue, les bains thermaux et les massages.

La spondylarthrite ankylosante provoque une ossification progressive du rachis. La thérapie active du mouvement est essentielle dans le traitement de cette maladie, afin de préserver une certaine mobilité du corps.

Le mal de Pott

Le mal de Pott est une localisation vertébrale du bacille tuberculeux, qui fait suite à une primo-infection. Il peut toucher tous les étages du rachis. Les lésions creusent le corps de la vertèbre, provoquant à terme un affaissement des vertèbres. Cette maladie a beaucoup régressé grâce à la prévention systématique de la tuberculose.

Elle survient chez des patients de plus de 50 ans souffrant de maux de dos et de sueurs nocturnes. Le repos et l'alitement sont des remèdes importants qui viennent s'ajouter aux médicaments prescrits pour soigner la tuberculose. La gymnastique médicale est recommandée. Dans certains cas rares, il est nécessaire de procéder à une intervention chirurgicale.

LES TUMEURS DE LA COLONNE VERTÉBRALE

Les tumeurs osseuses de la colonne vertébrale sont rares. Elles résultent essentiellement des métastases de tumeurs affectant d'autres parties du corps.

Certaines tumeurs peuvent développer des métastases qui attaquent les os de la colonne vertébrale.

C'est le cas notamment du cancer du sein, du cancer de la prostate, des poumons et des reins.

Les métastases « rongent » les os en quelque sorte. Elles les fragilisent et finalement les détruisent. Les douleurs souvent aiguës se manifestent à un stade avancé de la maladie. Les métastases sont surtout dangereuses lorsqu'elles s'attaquent à la stabilité du corps vertébral, car la moelle épinière est alors exposée et le patient menacé de paraplégie.

En tout premier lieu, il est essentiel d'éliminer le foyer de la tumeur par un traitement aux rayons, une chimiothérapie ou une opération.

LES TRAUMATISMES ACCIDENTELS DU RACHIS

On distingue plusieurs degrés de traumatismes de la colonne vertébrale. L'éventail de ces affections s'étend de la plus simple contracture musculaire résultant d'un faux mouvement à la rupture complète de la colonne vertébrale lors d'un accident grave.

Le diagnostic se base sur la stabilité du rachis et la perte de nerfs. Les traumatismes des vertèbres cervicales sont assez fréquents.

La lésion traumatique des cervicales (le coup du lapin)

La lésion traumatique des cervicales est l'un des accidents les plus courants. C'est le cas typique de blessure provoquée par un carambolage. Le traumatisme des vertèbres cervicales résulte du fait que la tête bascule brutalement d'avant en arrière et inversement. Plus la vitesse est importante, plus graves sont les conséquences. Après un tel accident, le patient doit rapidement consulter un médecin afin que celui-ci puisse évaluer, à l'aide de la radiographie, l'ampleur du traumatisme.

On distingue trois degrés de gravité : dans les cas les plus bénins, il s'agit simplement d'une rupture ligamentaire accompagnée de contractures, de maux de tête évoluant de l'arrière du crâne vers le front, de nausées ainsi que de légères perturbations de l'ouïe et des difficultés de concentration. Ces symptômes apparaissent quelques heures, voire quelques jours après l'accident et disparaissent complètement au bout d'un certain temps.

Lors d'un carambolage, le tronc est projeté d'avant en arrière sous l'effet du choc. Il en est de même pour la tête. Il en résulte quelquefois une lésion traumatique des cervicales.

Une nuque raide et des difficultés pour avaler sont des symptômes plus inquiétants. Dans les cas plus graves, on constate des fractures des vertèbres cervicales. Les douleurs sont immédiates et le patient peut être menacé de paraplégie, voire de tétraplégie.

Les traitements

Les victimes de ce genre d'accident sont soignées en fonction de leurs symptômes. Le port d'une minerve est parfois conseillé, de même que peut être utile le réchauffement des zones douloureuses. Lorsque le patient souffre beaucoup, le médecin lui prescrira un traitement médicamenteux classique. La gymnastique médicale est parfois très utile.

L'AFFECTION D'AUTRES ORGANES PEUT DÉCLENCHER DES MAUX DE DOS

Certaines douleurs irradiant dans le dos sont déclenchées par des maladies internes affectant d'autres parties du corps. Souvent, le patient ne parvient pas à faire la relation entre les douleurs qu'il ressent et l'organe atteint. Si le rhumatologue ne parvient pas à trouver la cause du problème, il enverra son patient consulter un autre médecin (neurologue, gynécologue, spécialiste des maladies internes, urologue).

Les maladies suivantes peuvent générer des douleurs ressenties au niveau du dos :

- L'infarctus : les douleurs surviennent dans la région du cœur et de celle des dorsales. Elles peuvent irradier dans l'épaule gauche, le bras gauche, le cou et la partie gauche du visage, vers l'abdomen et dans le dos.
- L'inflammation du pancréas : douleur qui ceinture le haut du ventre et peut irradier dans le dos.
- Les maladies des reins (calculs rénaux et néphrite) : fortes douleurs dans le dos et sur le flanc.
- Les maladies gynécologiques : les douleurs menstruelles peuvent irradier dans les lombaires, de même que les inflammations utérines et celles des trompes.
- La pneumonie : les douleurs surviennent au niveau des côtes inférieures et au milieu du dos, surtout au moment de l'inspiration et de l'expiration.
- L'ulcère de l'estomac : les douleurs abdominales irradient quelquefois vers le dos.
- L'aortite peut être à l'origine de douleurs surgissant dans la région lombaire.

LE DOS ET LE PSYCHISME

Les dysfonctionnements physiques ne sont pas les seules causes du mal de dos. Le dos, la personnalité et la psyché sont étroitement liés.

Les expressions du langage courant en témoignent clairement. On dit effectivement « en avoir plein le dos », « faire le dos rond » ou bien encore « avoir bon dos ». Les médecins constatent fréquemment que les personnes qui souffrent du dos sont extrêmement surmenées et subissent d'importantes pressions psychologiques.

Il n'est pas rare qu'une crise de sciatique ou bien qu'une hernie discale survienne chez un patient vivant une période de remise en question personnelle ou professionnelle, ou bien souffrant d'un poids physique ou moral important.

La maladie est l'occasion pour le patient de se consacrer du temps, initiative qu'il n'aurait sinon jamais prise.

Certaines expressions de notre langage courant témoignent bien du rapport existant entre le corps et l'esprit.

Les personnes souffrant de manière chronique de problèmes de dos sont généralement des personnes hyperactives, toujours prêtes à rendre service, disciplinées et dotées d'un grand sens du devoir. Elles acceptent peu d'être aidées et continuent en général de travailler malgré les douleurs parfois très difficiles à supporter, notamment en position assise.

Cela ne signifie pas que tous les « gros travailleurs » souffrent du dos, mais qu'ils sont prédisposés à ce type de manifestation.

Les « gros travailleurs » sont prédisposés aux problèmes de dos d'origine psychosomatique.

Les situations psychologiquement difficiles génèrent du stress, lui même cause de tensions physiques, qui sont à l'origine du mal de dos et de douleurs à la nuque.

Si les douleurs surviennent occasionnellement, il est conseillé d'avoir recours aux méthodes de relaxation qui visent à la réduction du stress.

C'est le cas notamment du training autogène, qui compte parmi les techniques de relaxation les plus répandues, de la détente musculaire progressive selon Jacobson, efficace notamment pour soulager les migraines chroniques et de certaines pratiques asiatiques comme le taï-chi-chuan, méthode excellente pour traiter tous types de problèmes de dos, entre autres.

Vous en saurez davantage en abordant le sous-chapitre intitulé « Harmonie et relaxation » page 160.

Que faire pour apaiser les douleurs chroniques ?

Pour éviter que les problèmes de dos liés à des difficultés psychologiques ne deviennent chroniques, les traitements classiques comme les médicaments et les injections ne suffisent pas, car ils n'agissent aucunement sur les tensions morales.

Or, ces douleurs doivent être traitées dans une globalité et il est conseillé d'avoir recours à un suivi psychologique en plus des examens cliniques.

Certains facteurs favorisent les douleurs de dos chroniques :

- Une pression constante dans la vie affective et professionnelle.
- Une tendance à l'humeur dépressive.
- Un sens du devoir important, voire excessif, refoulant les douleurs pour faire face aux situations personnelles et professionnelles.
- Une incapacité à demander de l'aide.

Le soutien psychologique et la détente morale, tels qu'ils sont pratiqués par exemple dans le cadre du training autogène, peuvent aider les gens et les mettre en garde contre les facteurs susmentionnés afin d'éviter que les problèmes de dos ne deviennent chroniques.

Mais l'aide psychologique n'est certes pas suffisante en soi pour résoudre des problèmes de douleurs chroniques et il est important de mettre au point un programme complet de soins, composés des éléments suivants :

Les situations morales pénibles et longues peuvent avoir des répercussions sur le corps et générer des problèmes de dos.

- Un entraînement physique régulier et surveillé.
- Un apprentissage du bon positionnement du dos (voir page 72 et sv).
- Une aide psychologique et médicale permettant au patient d'apprivoiser la douleur et de vivre avec elle.
- L'aide d'un ergothérapeute pour la réinsertion du patient dans le monde du travail (page 148).

Les problèmes de dos liés au stress sont un signal d'alerte. Si le stress persiste, les douleurs peuvent devenir chroniques.

La douleur et la vie sentimentale

Dans le couple, les souffrances de l'un des conjoints ont forcément des répercussions sur l'autre. La douleur peut persister ou disparaître en fonction du comportement de l'autre. Chaque type de réaction a des conséquences différentes. Nous les avons classées en trois grandes catégories :

Réaction d'affection
Le conjoint réagit à la douleur de l'autre avec une grande compassion, en refoulant ses propres désirs.

Lorsque dans un couple, l'un des conjoints souffre, l'autre peut réagir de plusieurs façons.

De manière plus ou moins consciente, celui qui est malade gagne à l'être dans la mesure où il est entouré d'une attention toute particulière. Il n'a donc pas grand intérêt à guérir.

Réaction de punition
Le conjoint en bonne santé ne prête aucune attention à la plainte de l'autre et le laisse seul avec sa douleur. Le malade tente de répondre aux attentes de son conjoint en essayant de vivre comme si de rien n'était. La douleur s'amplifie.

Réaction d'ignorance
Le conjoint en bonne santé ne réagit pas à la plainte de l'autre, mais il essaye au contraire de faire diversion et de proposer des activités. L'affection est bien présente mais elle reste bien sûr indépendante de l'expression de la douleur de l'autre. Cette stratégie est particulièrement efficace et satisfaisante à long terme pour les deux membres du couple.

Certaines personnes malades tardent à guérir parce que, consciemment ou, plus souvent, inconsciemment, elles retirent un bénéfice de leur état : l'entourage, la compassion, les services...

La douleur est un appel au secours du corps

Un corps douloureux est souvent perçu comme une entrave par beaucoup d'entre nous. Le corps réagit par la douleur lorsque quelque chose ne va pas. Dans certains cas, nous refusons de prendre en compte ce signal et nous continuons de « maltraiter » notre corps. Nous ne lui accordons aucun repos et nous avons recours à l'utilisation de médicaments et de drogues comme l'alcool, le café et la nicotine. Les douleurs sont alors amplifiées. Il devient donc indispensable de changer notre mode de fonctionnement.

Le corps n'est pas un ennemi qui refuse de collaborer. C'est au contraire un allié, qui, en ayant recours à la douleur, nous avertit que quelque chose ne va pas. Et nous devrions effectivement considérer la douleur comme un appel au secours lancé par notre corps, réclamant par ce biais l'attention que nous lui devons.

Les douleurs ne doivent jamais être ignorées ou refoulées. Elle sont un véritable signal d'alerte de notre corps.

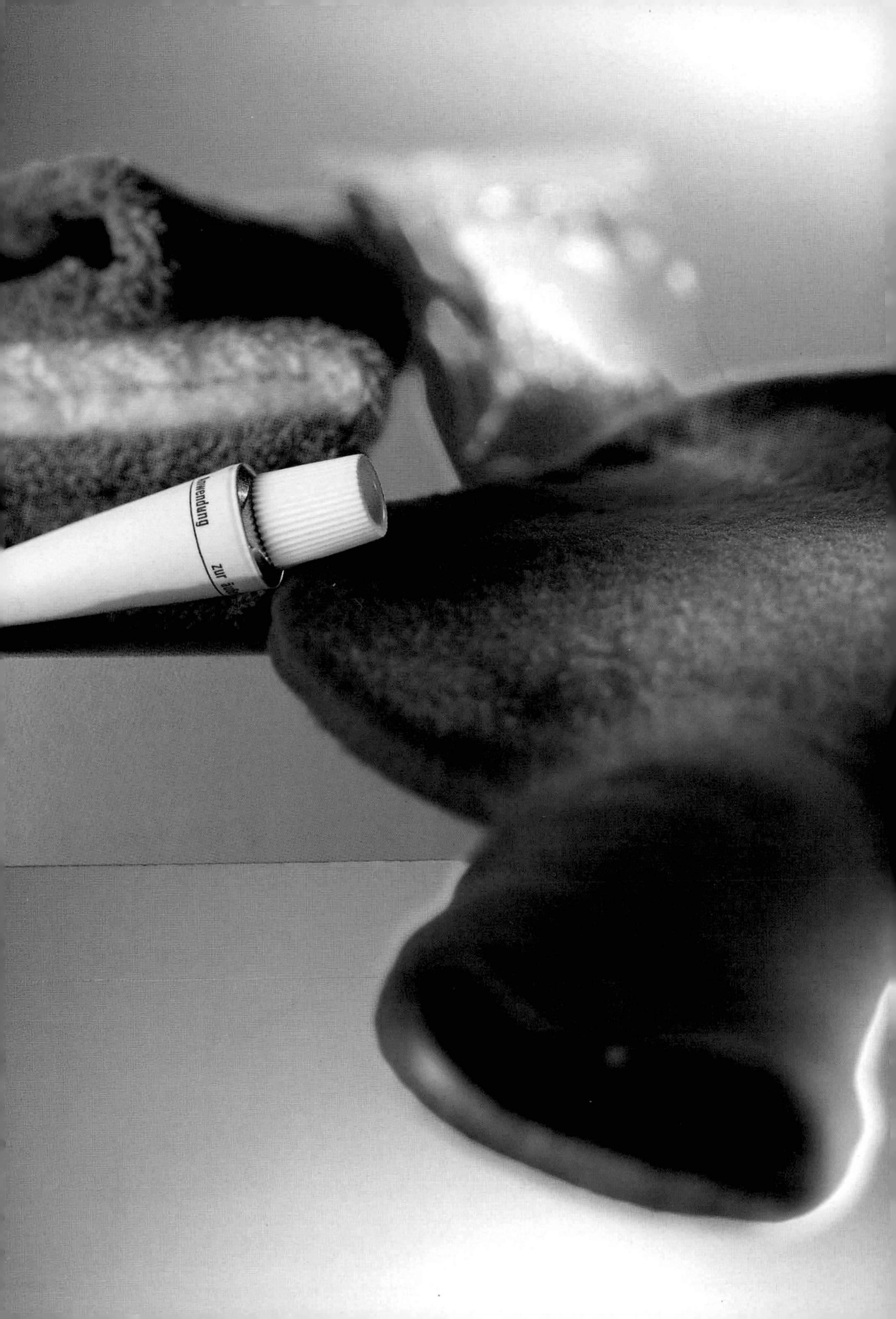
Anwendung

Premiers soins pour soulager la douleur

Si vous avez déjà souffert de douleurs aiguës dans le dos sans savoir comment réagir, alors le chapitre suivant vous sera d'une aide précieuse.

Celui-ci nous a effectivement permis de recenser les mesures efficaces auxquelles vous pouvez avoir recours pour soulager la douleur dans les minutes ou les heures qui suivent. Il est également essentiel de savoir quels sont les symptômes qui nécessitent la consultation rapide d'un médecin.

COMMENT RÉAGIR LORS DE DOULEURS AIGUËS ?

Brutalement, votre dos vous fait terriblement souffrir. Peut-être avez-vous porté des sacs trop lourds, ou bien essayé une nouvelle technique au tennis, ou encore fait du jardinage pendant plusieurs heures. Il est possible aussi que cette douleur n'ait été causée par aucun mouvement inhabituel, ni aucune charge pesante. Une chose est sûre : vous avez effroyablement mal au dos. En outre, si cela se produit pour la première fois, vous prenez peur car la douleur vous coupe le souffle. Tout votre dos se contracte alors et vous ne pouvez plus faire le moindre mouvement. Mais soyez rassuré : généralement, les douleurs disparaissent au bout de quelques jours, et il existe des traitements qui accélèrent le processus de guérison.
Ces douleurs épouvantables peuvent être causées par un lumbago, une sciatique ou bien encore une hernie discale. Dans ces cas-là, nous vous recommandons de suivre les indications ci-dessous.

DANS QUELS CAS FAUT-IL APPELER D'URGENCE LE MÉDECIN ?

L'intervention immédiate d'un médecin n'est indispensable que dans très peu de cas seulement. Si vous manifestez les symptômes suivants, il vous faut consulter le médecin sans retard. Le service de garde médicale intervient dans les situations critiques en envoyant un médecin sur place. Les symptômes critiques sont :

- Problème de vessie : lorsque vous ne pouvez uriner ou bien au contraire que vous souffrez d'incontinence.
- Problèmes intestinaux : vous êtes extrêmement constipé ou inversement.
- Problèmes dans la région anale ou dans celle des organes génitaux qui vous semblent être comme engourdis.
- Vous ressentez une faiblesse ou une paralysie de l'une ou l'autre jambe.
- Vous souffrez de douleurs insupportables qui ne semblent aucunement vouloir s'atténuer même au bout d'une heure.

Les maux de dos peuvent survenir très brutalement, mais il existe des moyens de les apaiser.

QUE FAIRE DANS L'IMMÉDIAT ?

La position de moindre douleur

Si vous ne manifestez aucun des précédents symptômes, essayez de vous mettre dans la position qui vous semble être la moins douloureuse. Dans la plupart des cas, les patients souffrent moins en s'allongeant sur le dos, à même le sol ou sur un lit, en pliant ou en élevant les jambes. C'est dans cette position que la colonne vertébrale est la moins sollicitée. N'ayez crainte : en agissant ainsi, vous ne prenez absolument aucun risque. Si la position sur le dos est trop douloureuse, allongez-vous sur le côté en chien de fusil ou bien sur le ventre.

Mais comment parvenir à s'allonger lorsque la douleur est si violente qu'elle ne permet pas le moindre mouvement ? Essayez d'abord de vous appuyer sur un meuble ou sur une chaise et de vous mettre à genoux très lentement. Puis asseyez-vous sur les talons et descendez sur le côté en vous aidant du bras. Allongez-vous ensuite sur le dos, sur le ventre ou sur le côté, selon la position qui vous paraît la moins douloureuse. Le premier pas est fait !

Glissez un oreiller sous les vertèbres lombaires. Puis essayez de surélever les jambes à l'aide de plusieurs oreillers posés les uns sur les autres, ou bien sur un petit tabouret ou sur un ballon de gymnastique. Il est important que vos reins reposent bien à plat sur le sol ou sur le matelas. La colonne vertébrale et les disques intervertébraux sont alors détendus au maximum. Il s'agit de la position de moindre douleur.

Vous pouvez vous mettre en douceur en position couchée. Mettez-vous d'abord sur les genoux (photo 1), puis descendez sur les talons et enfin sur le côté (photo 2).

1

2

La position de moindre douleur favorise le repos de la colonne vertébrale et des disques intervertébraux.

LA TECHNIQUE DE RESPIRATION

Il vous faut maintenant détendre vos muscles, et la maîtrise de votre respiration va vous y aider. Respirez très régulièrement en inspirant profondément par le nez. Faites remonter l'air du ventre vers les poumons, puis expirez doucement par le nez ou par la bouche en vous décontractant au maximum. Faites cet exercice pendant plusieurs minutes. La main posée sur votre ventre, vous pouvez suivre les mouvement effectués par votre cage thoracique.

LE RÉCHAUFFEMENT DES RÉGIONS ENDOLORIES

Si vous souffrez du dos brutalement pour la première fois, vous pouvez essayer de réchauffer les régions endolories. La chaleur détend les muscles et enraye le cercle vicieux de la douleur. Il existe plusieurs méthodes simples :

- La bouillotte est un moyen simple et pratique pour favoriser la détente musculaire. Mais attention ! Il est important d'éviter le contact direct de la bouillotte avec la peau. Enveloppez-la dans une serviette ou un drap. Vous éviterez ainsi de vous brûler.
- Vous pouvez utiliser une couverture chauffante.
- Vous pouvez également poser sur votre dos une serviette de toilette humide et chaude.
- En pharmacie, il vous est possible de vous procurer des coussins thermiques que vous pouvez faire chauffer au micro-ondes, au four, ou bien plonger dans de l'eau chaude, pour les appliquer ensuite sur les endroits douloureux. Ces coussins présentent l'inconvénient de maintenir relativement peu de temps la température souhaitée.

Le réchauffement des régions endolories aide à la décontraction musculaire.

• Les baumes et les onguents (par exemple à l'extrait de romarin) ont également des vertus décontractantes.

• En pharmacie, il vous est également possible de vous procurer des bandes Velpeau de 20 cm de largeur, que vous pouvez enrouler autour de votre tronc. Ce bandage accentuera l'effet de l'onguent et vous donnera une sensation de stabilité.

• Dès que vous pourrez vous mouvoir lentement, tentez de gagner la salle de bain et faites-vous couler un bain chaud. Certaines huiles à la menthe, aux aiguilles de pin ou au romarin favorisent la circulation sanguine. Le sel de cuisine aide, lui aussi, à l'apaisement des douleurs. Versez tout simplement un paquet de gros sel dans le bain. Plongez-vous dedans, et vous sentirez rapidement vos muscles se décontracter. Soyez cependant très prudent dans la baignoire : pas de mouvement inconsidéré et prenez votre temps. Il serait dommage que vous ne parveniez plus à en sortir, parce qu'un mouvement inadapté a réveillé brutalement les douleurs. Avertissez la personne avec laquelle vous vivez que vous prenez un bain.

• Dès que vous récupérez davantage de mobilité, n'hésitez pas à aller en station de cure thermale. L'eau chaude est excellente pour la décontraction musculaire. En outre, le corps est partiellement porté par l'eau, favorisant ainsi l'apaisement des douleurs.

Le bain chaud favorise la détente musculaire et, le corps, dans l'eau, n'a plus les mêmes efforts à fournir.

SOULAGER LA DOULEUR PAR LE FROID

Si le réchauffement de la région endolorie ne vous a pas apporté le moindre soulagement, essayez alors de la rafraîchir. L'excitation des racines nerveuses, comme dans le cas d'un lumbago, provoque souvent une inflammation. Le nerf réagit alors positivement au froid.

• Vous pouvez tout simplement mettre une serviette de toilette humide au réfrigérateur. Attention ! Prenez soin, avant utilisation, de bien envelopper la serviette de toilette froide dans une autre, sèche. En évitant le contact direct de la serviette froide avec la peau, vous échapperez aux risques de refroidissement.

• Les pharmacies commercialisent des coussins thermiques réutilisables contenant un gel spécifique. Mettez-le au réfrigérateur ou bien dans le compartiment congélation. Là encore, il est préférable d'éviter le contact direct du coussin avec la peau, en l'enveloppant, avant utilisation, dans une serviette sèche.

• L'utilisation d'un glaçon que l'on fait glisser sur la région endolorie du dos, peut se révéler d'une grande efficacité. La chaleur, qui résulte de l'irrigation sanguine de la zone concernée, parvient à décontracter les muscles. Ce « massage au glaçon » ne doit pas durer plus de dix minutes et peut être renouvelé toutes les deux heures.

QUAND RIEN NE SOULAGE, RESTENT LES MÉDICAMENTS

Lorsque les douleurs sont trop fortes et que rien ne les apaise, la prise de médicaments devient incontournable. À l'exception du paracétamol, les analgésiques et anti-inflammatoires sont tous vendus sur ordonnance. Il vous faudra donc d'abord consulter votre médecin.

S'il vous reste des médicaments datant de vos précédents maux de dos dans votre pharmacie personnelle, ne les utilisez en aucun cas sans l'avis de votre médecin !

On classe ces médicaments en trois grandes catégories :

• Les substances favorisant la décontraction musculaire, ou myorelaxants, comme le diazepam, et le tetrazepam. Attention ! Les médicaments contenant ces substances peuvent provoquer des effets de dépendance en l'espace de quelques heures. Il est donc absolument indispensable de ne jamais les absorber sans le conseil de votre médecin.

Dans le cas d'inflammation, le contact du froid peut aider à soulager les douleurs. On enveloppe le dos d'une serviette contenant un coussin thermique réutilisable ou bien on fait glisser sur la peau un glaçon sorti du congélateur.

• Les substances anti-inflammatoires comme le diclofenac, l'ibuprofen, l'indométacine ou bien le piroxicam, etc.
• Les substances antalgiques comme le paracétamol ou encore le tramadol qui est prescrit par le médecin en cas de très fortes douleurs.

COMMENT SE FAIRE AIDER PAR UN PROCHE

L'aide d'un proche peut être très utile et contribuer efficacement à apaiser la douleur : les mots apaisants d'autrui sont d'un grand réconfort psychologique, et un massage léger de la zone endolorie peut favoriser la décontraction musculaire. Il s'agit beaucoup moins de maîtriser les techniques du massage que d'entrer précautionneusement en contact avec l'autre.

Un massage très doux suffit pour distancier le malade de sa propre douleur et solliciter certains récepteurs de la peau, qui provoquent la détente du muscle par l'intermédiaire du réseau nerveux. Le nouvel influx calme les nerfs, tandis que la chaleur émanant du massage prédispose elle aussi à la décontraction des muscles du dos. Pour ce faire, vous pouvez, en toute tranquillité, utiliser des huiles corporelles parfumées (eucalyptus, lavande, camomille), car le parfum favorise également la détente. Demandez conseil à votre pharmacien qui vous aidera dans le choix de l'huile.

Massez légèrement le dos des deux côtés de la colonne vertébrale ; la colonne même ne doit pas être massée.

Un massage favorise la décontraction musculaire.

Les mouvements de massage doivent être effectués lentement avec toute la surface de la main, sans exercer de pression trop forte, et sur toute la longueur du dos. On poursuit avec de vastes mouvements circulaires. Le massage ne doit occasionner aucune sensation désagréable. Il s'agit davantage de caresser que de pétrir.

UNE AMÉLIORATION EN 24 HEURES

Vous pouvez vous reposer tranquillement au lit, le premier jour. Dès que les douleurs s'atténuent, il serait bon que vous changiez de position de temps à autre. Puis, essayez progressivement de vous lever et de marcher un peu. Ne forcez surtout pas et prenez votre temps pour effectuer chacun des mouvements. Accordez à votre corps le repos dont il a besoin. Évitez tout exercice de gymnastique lorsque les douleurs sont vraiment très aiguës. Certaines tisanes peuvent vous aider à trouver le sommeil (valériane, mélisse, sureau, menthe et achillée). Le vinaigre de pomme comporte également des vertus apaisantes. Versez deux cuillerées à café de vinaigre de pomme dans un verre d'eau. Sucrez en ajoutant un peu de miel, puis buvez le mélange par petites gorgées. Quelques gouttes de menthe sur l'oreiller et sur le buste permettront de respirer calmement pendant la nuit.

Nous avons tous à portée de main des remèdes simples pour soigner le dos.

DES REMÈDES EFFICACES LES PREMIERS JOURS

Si les douleurs persistent le deuxième jour avec la même violence, il est préférable de consulter un médecin. Dans la plupart des cas, elles s'atténuent après une bonne nuit de sommeil. Mais comment procéder ensuite ? Il n'est pas souhaitable de rester au lit sans bouger, car le fait de rester trop longtemps allongé peut provoquer des contractures douloureuses. Trouvez votre propre rythme en alternant entre repos et activité. Allongez-vous une trentaine de minutes, puis activez-vous pendant cinq minutes avant de vous reposer de nouveau.

Si vous êtes victime d'une crise aussi violente pour la première fois, hâtez-vous de consulter votre médecin qui vous prescrira les examens nécessaires et diagnostiquera la cause de votre mal de dos.

Un traitement sur le long terme

En revanche, si les douleurs sont récidivantes, il serait préférable de mettre au point avec votre médecin un programme de prévention. Vous traiterez d'abord les causes pathologiques avant de réfléchir à la manière dont vous pourrez éviter de telles crises : améliorez votre alimentation, pratiquez une gymnastique quotidienne et évitez d'être perpétuellement stressé. En fonction du type de difficultés qui vous affectent, vous pourrez également envisager d'avoir recours aux médecines parallèles : voir page 152 de notre ouvrage.

Après la crise, vivez tranquillement dans les premiers temps et soyez attentif au langage de votre corps.

Un dos sans problème

Contrairement à ce que l'on pourrait croire, il est possible de vivre sans problèmes de dos. Pour cela, il suffit de connaître les rudiments simples qui permettent de garder sa colonne vertébrale en bonne santé, au travail, à la maison et dans le cadre de la pratique d'un sport. Mais il est avant tout nécessaire de savoir déceler suffisamment tôt ce qui est mauvais pour votre dos. Ce chapitre se propose de vous y aider.

L'école du dos a étudié toutes les attitudes corporelles qui ménagent et protègent la colonne vertébrale. Il est donc possible de savoir comment se tenir assis en respectant le dos, marcher, s'allonger, se lever, porter et acheter le mobilier adapté à la colonne vertébrale. Par étapes, vous apprendrez ainsi la façon dont vous pourrez effectuer sans risque tous les gestes et les tâches quotidiennes.

L'ACTIVITÉ PHYSIQUE, SECRET DU BON MAINTIEN

Depuis les débuts de l'industrialisation, notre comportement face au travail et aux loisirs a connu de réelles modifications. Le corps est de moins en moins sollicité dans le travail et l'on passe le plus clair de notre temps assis sur une chaise.

Grâce à l'ordinateur et à la connexion Internet, nous pouvons communiquer avec des interlocuteurs lointains sans avoir à faire le moindre mouvement. Pendant nos temps de loisirs, force est de constater que nous ne nous activons pas davantage. Nous prenons la voiture, même pour parcourir de très petites distances. Nous restons devant la télévision ou l'ordinateur des heures durant sans bouger.

C'est également le cas d'un grand nombre d'enfants. La réduction de la superficie des habitations, l'importance de la circulation automobile et le manque d'espaces verts dans les grandes villes ne permettent plus d'aller batifoler au grand air. Nous sommes donc amenés, dès le plus jeune âge, à réduire notre activité physique.

En maternelle et à l'école, les enfants sont priés de se tenir tranquillement assis, plusieurs heures d'affilée. Au collège et au lycée, les conditions ne sont pas très différentes. Cette attitude statique nuit au bon développement de la musculature. Aujourd'hui, une bonne proportion des écoliers est victime du mal de dos, et souffre également de problèmes de poids.

L'activité physique chez les enfants permet d'éviter les problèmes de dos.

Au XXe siècle, des études ont été entreprises à ce propos et l'on sait que les règles pour être bien assis sont d'une grande simplicité. Pourtant, les designers se préoccupent davantage de l'aspect de leurs meubles que de leur fonctionnalité.

L'ÉCOLE DU DOS : UN CONCEPT GLOBAL

Lorsque l'on doit rester longtemps assis, autant s'arranger pour être assis correctement. Le fait de bien savoir s'asseoir fait partie d'un concept global mis au point par l'École du dos. Cette idée a germé en 1969 en Suède. Des écoles ont ensuite été fondées aux Pays-Bas, en Angleterre, au Canada et aux USA. L'école du dos existe en France depuis une vingtaine d'années.

L'objectif de cette école est de faire connaître les mesures de prévention qui permettent d'éviter aux gens d'être victimes de problèmes de dos. L'enseignement est à la fois théorique et pratique. Il est important de pouvoir corriger les habitudes de chacun dans les différents registres du quotidien, et il est très insuffisant de se contenter de faire quelques mouvements de gymnastique une fois par semaine. La prise de conscience de son dos et les stratégies adaptées sont conçues pour le bien-être de la colonne vertébrale. Parmi ces stratégies, il en est une qui vise à l'apprentissage de la bonne position assise.

LA POSITION ASSISE

Plus vous êtes assis courbé, plus forte est la pression exercée sur vos disques intervertébraux. Si vous avez l'impression d'être assis confortablement lorsque vous arrondissez le dos, c'est parce que vous avez pris l'habitude depuis fort longtemps de vous tenir dans une mauvaise position. Au lieu de cela, vous pouvez apprendre à vous asseoir correctement. Au bout d'un certain temps, il vous sera difficile d'imaginer que vous avez pu vous tenir mal assis aussi longtemps.

Dans la position assise courbée, aucun muscle n'est sollicité. Ce sont les ligaments, les os et les disques intervertébraux qui effectuent l'essentiel du travail, du moins ceux qui sont localisés à la hauteur des dernières vertèbres lombaires et des vertèbres cervicales. Ces régions sont alors exposées à une usure précoce.

S'asseoir en courbant le dos provoque une atrophie du dos et des muscles fessiers, car certains d'entre eux ne travaillent absolument pas. Les muscles faibles ne peuvent plus assurer le travail de maintien, favorisant ainsi le développement de certaines affections comme la hernie discale.

À l'école du dos, on acquiert certaines notions que l'on applique toute sa vie durant.

Le travail de la colonne vertébrale

Si, lorsque nous nous tenons debout, le rachis est sollicité à 100 %, il l'est à 140 % lorsque nous sommes assis correctement, en maintenant notre dos droit. Mais lorsque que nous sommes assis en faisant le dos rond, la colonne vertébrale est sollicitée à 190 % ! Être en position assise est beaucoup plus fastidieux que d'être debout ou de marcher.

Lorsque nous sommes voûtés, notre tête doit fournir un effort pour se relever si nous voulons regarder devant nous. Les articulations entre la tête et le cou sont connectées aux yeux et à l'organe de l'équilibre, dans l'oreille interne, par l'intermédiaire du système nerveux. Une mauvaise position peut générer une irritation constante de ce système et provoquer des vertiges et des sifflements dans l'oreille.

L'effort que la tête doit fournir pour se relever est également à l'origine de contractures musculaires à la hauteur de la nuque ainsi que de maux de tête. Lequel d'entre nous n'a jamais été victime de ces douleurs lancinantes qui remontent de la nuque vers le front en passant par l'arrière du crâne ? Celles-ci surviennent surtout le soir, après une dure et longue journée de travail. Eh bien, elles résultent essentiellement du fait que nous nous asseyons mal.

Être bien assis

La position assise orthopédique idéale préserve la physiologie naturelle de la colonne vertébrale. La règle de base est la suivante :

Changez de position le plus souvent possible. Changez de siège de temps à autre et asseyez-vous sur un ballon de gymnastique ou ballon-siège que vous pouvez vous procurer dans un magasin de sport ou chez les spécialistes du dos. Il vous permettra de vous asseoir de façon dynamique car il autorise différents mouvements. Vous pouvez faire rouler le bassin d'avant en arrière ou bien faire des mouvements sur le côté.

Voilà une manière dynamique de s'asseoir.

Il n'est cependant pas recommandé de rester assis toute la journée dessus, car il nécessite d'effectuer constamment de petits mouvements pour se rééquilibrer. Il ne permet évidemment pas de s'adosser et donc de se relâcher.

Un peu de technique

Si vous suivez consciencieusement les explications suivantes, vous saurez vous asseoir correctement :

- Ouvrez les cuisses en V.
- Placez vos pieds dans l'alignement des jambes. La plante du pied doit reposer à plat sur le sol.
- Roulez maintenant votre bassin vers l'avant et vers l'arrière.
- Restez dans la position dans laquelle vous sentez le mieux la pression des deux pointes des os ischions (parties inférieures de l'os iliaque) sur la chaise. Basculez alors votre bassin vers l'avant, de façon à ce que vous soyez assis juste avant l'os ischion.
- Relevez légèrement le buste en direction du menton. Baissez un peu la tête. Le regard est bien droit.
- Le bassin est redressé et basculé vers l'avant. La colonne vertébrale est relevée.

Quelques conseils

Comment s'asseoir convenablement sur une chaise normale de cuisine ou de bureau ?

Une bonne chaise se règle par rapport à la hauteur de la table.

- La chaise doit être suffisamment haute : lorsque les pieds reposent à plat sur le sol, un angle droit doit caractériser l'ouverture entre la cuisse et la jambe.
- L'espace doit être suffisamment important entre l'arête de l'assise et le creux du genou, afin d'éviter que l'arête ne fasse pression sur les vaisseaux sanguins dans la région du genou et n'entraîne des problèmes de circulation.
- Un coussin triangulaire en mousse incliné permet d'obtenir la bonne inclinaison du siège, et offre la possibilité au bassin de basculer automatiquement vers l'avant. Vous pouvez bien sûr vous en procurer dans les magasins orthopédiques.

Voilà la position assise idéale.

• Il est possible de soutenir les vertèbres lombaires en glissant un petit oreiller entre le dossier de la chaise et les lombaires (au volant de la voiture et lors de longs voyages en avion).

Comment s'asseoir au travail

La chaise de bureau

Étant donné que la majeure partie de la population travaille assise devant un bureau ou une table de travail à la maison, des spécialistes ont réfléchi à la conception de la chaise de bureau idéale.

On constate cependant que la meilleure chaise de bureau ne peut en aucun cas remédier aux faiblesses musculaires et au mal de dos. Une bonne chaise peut simplement aider à prévenir ce genre de problèmes ou bien empêcher d'accentuer les douleurs. Il est important que la chaise soit adaptée et conçue pour répondre aux besoins individuels, et fabriquée par un spécialiste.

Les entreprises sont souvent en possession d'excellentes chaises, lesquelles, par méconnaissance, ne sont pas exploitées au maximum de leur potentiel. En principe, la chaise doit s'adapter à vos besoins et non l'inverse. Il faut également savoir que même la chaise la plus haut de gamme ne vous dispense pas de moments réguliers de pause, d'une dizaine de minutes par heure, vous permettant de vous activer un peu. Cela ne vous empêche en aucun cas de poursuivre votre travail, car vous pouvez effectuer certaines tâches, tout en restant debout, comme téléphoner par exemple. Il est également recommandé de modifier fréquemment votre position assise, afin d'éviter les contractures et d'alléger la pression sur les disques intervertébraux.

Les critères d'une bonne chaise ergonomique

• L'assise : Elle doit être suffisamment spacieuse, de sorte que le bassin n'occupe pas la totalité de la surface. Il est préférable que l'arête de l'assise soit arrondie pour éviter de comprimer les cuisses, et que sa surface soit un peu inclinée vers l'avant pour empêcher le bassin de basculer en arrière.

On devrait tous apprendre à s'asseoir de manière dynamique, étant donné le nombre d'heures que nous passons assis sur une chaise devant notre bureau.

• Le dossier : Le dossier de la chaise doit être légèrement galbé à la hauteur des vertèbres lombaires, afin de respecter la courbure naturelle de la colonne vertébrale. Il doit être suffisamment élevé et rembourré, pour servir de soutien aux vertèbres dorsales lorsque le dos se redresse.

• Le réglage synchronisé : il permet un réglage automatique de l'inclinaison de l'assise et un réglage du dossier lorsque le dos prend appui dessus.

• La suspension du siège : elle protège la colonne vertébrale au moment où l'on s'assoit et atténue le choc lorsque le bassin se pose sur le siège.

• Les accoudoirs : le bras doit former un angle droit avec l'accoudoir, permettant ainsi de soulager les muscles deltoïdes couvrant les épaules. Les accoudoirs doivent être suffisamment larges pour réceptionner l'avant-bras confortablement .

Les critères d'un bon plan de travail ergonomique

• Le plan de travail et la position de l'ordinateur sont aussi essentiels que la chaise sur laquelle on s'assoit. Très important : tous les plans de travail doivent pouvoir se régler en fonction de la taille de celui auquel il est destiné.

• La taille du plan de travail est parfaite lorsque l'avant-bras repose dessus et que le coude forme un angle droit avec le bras. Le bureau dont la hauteur est réglable est bien évidemment idéal. La norme européenne est de 72 centimètres.

• La surface du plan de travail ne doit comporter aucun reflet et sa largeur devrait être de 160 centimètres. Il faut compter un espace minimum de 60 centimètres entre l'ordinateur et celui qui y travaille, et l'écran ne doit pas être disposé près d'une fenêtre.

• Un petit tabouret ou un repose-pied sont souhaitables pour permettre aux gens de petite taille de s'asseoir correctement et de pouvoir poser leurs pieds convenablement.

• Dans l'idéal, il serait bien de pouvoir disposer d'un plan de travail comportant un mécanisme de réglage automatique. La possibilité de régler le plan de travail à bonne hauteur permet d'éviter la contracture des muscles du cou, lorsque l'on est contraint de travailler tête baissée. L'utilisation d'un pupitre est également conseillée.

Cette femme est assise correctement. Ses avant-bras sont à plat sur le plan de travail tandis que les accoudoirs du siège lui servent d'appui.

Des petits changements de position peuvent avoir des répercussions importantes

Prenez l'habitude d'effectuer certaines tâches quotidiennes, les coups de téléphone par exemple, en marchant ou en restant debout. Pensez à faire quelques exercices d'étirement. Il en existe une quantité que vous pouvez effectuer très facilement au bureau, ou bien en travaillant à la maison. Nous vous en indiquons quelques-uns à la page 90 de notre ouvrage.

- Nous vous conseillons de faire appel à un menuisier qui vous fabriquera un plan de travail incliné.
- Le regard doit balayer l'écran de l'ordinateur de haut en bas, pour ménager les épaules et la nuque et ne pas les solliciter à mauvais escient. Il n'est pas bon, en revanche, d'avoir un écran d'ordinateur disposé sur le côté, car les mouvements de rotation répétés de la tête sont à l'origine de contractures. Une disposition en vis-à-vis de l'écran épargne les vertèbres cervicales.
- L'éclairage du bureau est également très important. Il doit être en lumière indirecte de préférence. En outre, il est recommandé d'utiliser un pare-soleil matin et soir.

LA CONDUITE AUTOMOBILE

Les routiers, les chauffeurs de taxi et les conducteurs de bus ne sont pas les seuls à passer plusieurs heures par jour dans leurs moyens de transport. Nous ne réalisons pas le temps énorme que nous passons quotidiennement au volant de notre voiture pour aller au travail, faire des courses, se rendre chez des amis, ou bien partir en vacances. Le siège de voiture devrait remplir les mêmes conditions que la chaise de bureau.

Certains sièges de voiture dessinent un creux à la hauteur du dossier, de sorte que les lombaires ne sont pas suffisamment soutenues et que le dos adopte une mauvaise posture. Ceci n'est pas bon, mais il existe un moyen très simple de remédier à ce problème. Glissez dans votre dos un coussin à la hauteur des vertèbres lombaires qui vous servira d'appui. Asseyez-vous tout au fond du siège et réglez le dossier à la verticale. Le siège de voiture idéal devrait soutenir l'ensemble de la colonne vertébrale et comporter un appuie-tête rigide et réglable.

Pour être assis correctement au volant de sa voiture, il suffit d'avoir la tête et le dos bien droits, les bras détendus, tandis que les pieds atteignent les pédales sans avoir à fournir d'efforts.

Les tapis à boules de bois que l'on étend sur le dossier du siège ne sont qu'une simple affaire de goût et n'ont pas le moindre effet bienfaisant sur le dos. En revanche, les sièges chauffants sont excellents : la chaleur qu'ils procurent détend et favorise la circulation sanguine.

Il est indispensable, lorsque vous faites de longs trajets en voiture, lors des départs en vacances par exemple, de vous arrêter plusieurs fois sur la route pour faire quelques mouvements de gymnastique, vous évitant de commencer les vacances avec de sérieux maux de dos. L'idéal serait de faire une pause quelques minutes par heure. Les pages 95 et sv. vous proposent plusieurs exercices de détente.

Le siège-auto des enfants

Il y a plusieurs aspects à prendre en compte, en plus du critère de sécurité, lorsque l'on fait le choix d'un siège-auto pour son enfant. Il est d'ailleurs recommandé de vous faire conseiller par un bon vendeur spécialisé. N'oubliez pas que, lorsque se produit un accident, les vertèbres cervicales des jeunes enfants sont particulièrement exposées. Leur tête est effectivement proportionnellement plus importante que leur corps, et la force du choc atteint chez eux, plus que chez les adultes, les vertèbres cervicales.

Aujourd'hui, il existe des sièges-auto avec tous les perfectionnements possibles. Certains possèdent même leur propre airbag. D'autres comportent un appuie-tête et un dossier électriques dont l'inclinaison et la hauteur sont réglables. D'autres encore sont chauffants ou bien leurs dossiers sont conçus pour respecter les courbures naturelles de la colonne vertébrale. Voici la liste des principaux aspects à prendre en considération d'un point de vue orthopédique, lors de l'achat du siège-auto :

- Les enfants grandissent vite, et le siège-auto doit être conçu pour s'adapter à leur croissance. Le dossier devrait être réglable dans sa hauteur et l'assise dans sa longueur.
- L'arête de l'assise doit remonter juste au-dessous des genoux, de sorte que l'enfant ne puisse glisser sous la ceinture de sécurité.
- Vérifiez qu'il y ait bien un coussin lombaire réglable épousant la courbe des vertèbres lombaires pour leur servir d'appui et donc de protection.
- Le siège devrait pouvoir être incliné facilement, permettant à l'enfant de se reposer.

Faites attention également à ce que le matériel utilisé laisse suffisamment passer l'air.

Il est essentiel que vous puissiez vous accorder des petites pauses lors des longs trajets en voiture, afin de faire quelques mouvements de gymnastique pour vous détendre.

COMMENT SE TENIR DEBOUT, MARCHER ET S'ASSEOIR CORRECTEMENT

Il ne suffit pas d'apprendre ou de réapprendre à s'asseoir correctement, mais il faut également corriger son maintien lorsque nous nous tenons debout et que nous marchons.
Les soldats et les gardes du corps sont obligés de respecter une attitude strictement militaire. Pourtant, elle n'est pas adaptée à leur dos. Chez eux, le travail de maintien n'est pas effectué par les muscles du dos mais par ceux du mollet et par les ligaments. Il n'est donc pas étonnant de souffrir à ces endroits-là, en fin de journée.
Lorsque vous êtes amené à rester longtemps debout, il est important de penser à détendre vos jambes dès que vous le pouvez. Adossez-vous contre un mur, un arbre, ou bien contre quelqu'un. Lorsque vous devez rester debout plusieurs heures au même endroit, posez un pied sur une petite estrade ou sur un tabouret peu élevé. Là encore, il est essentiel de changer de position le plus souvent possible, afin de reposer la colonne vertébrale.

Comment marcher convenablement

Lorsque vous marchez ou que vous courez, vous pouvez aussi améliorer la tenue de votre colonne vertébrale. Pensez toujours à vous redresser quand vous marchez ou courez. Imaginez que quelqu'un vous tire vers le haut à partir du sommet de votre crâne, exactement comme si vous étiez une marionnette. Redressez légèrement vos épaules vers l'arrière. Inspirez et expirez régulièrement.

Comment bien se chausser

Le choix des chaussures est important pour préserver la colonne vertébrale. La chaussure doit permettre au pied de faire le mouvement suivant : le pied doit toujours pouvoir avancer en touchant le sol depuis le talon jusqu'aux orteils en passant par la voûte plantaire, et travailler dans sa totalité.
Les chaussures qui enferment le pied de sorte que celui-ci se pose à plat sur le sol sans pouvoir faire ce mouvement essentiel, sont vivement déconseillées. Elles provoquent un écrasement des disques intervertébraux. Le goudron et le béton n'offrent aucune souplesse naturelle lors de la marche, si bien que la chaussure doit absolument avoir une fonction d'amortisseur. Les semelles en cuir ne sont pas adaptées à la marche sur sol dur. Il est préférable de porter des semelles en gel ou des coussins d'air, que l'on trouve dans les bonnes chaussures de gymnastique ou de jogging.

Faites reposer votre jambe sur un petit tabouret, lorsque que vous êtes amené à rester debout longtemps.

Les déformations du pied

Si vous avez des problèmes de dos, il faudrait penser à faire examiner vos pieds. Ceux-ci nécessitent peut-être le port de chaussures orthopédiques. Les pieds peuvent, effectivement, être à l'origine de problèmes de dos.

De même, il est important de prendre garde au bon choix des chaussures de vos enfants. La visite médicale de l'école permet notamment de contrôler le bon fonctionnement de leurs pieds.
La pression exercée sur chacun des talons doit être identique, afin de stabiliser la marche, de soulager les articulations de la cheville et d'éviter les entorses. Cette juste répartition de la pression est possible avec des talons qui ne dépassent pas 2,5 centimètres de hauteur.

L'achat des chaussures

N'oubliez pas que vos pieds sont, dans la plupart des cas, de longueur et de largeur différentes. On achète souvent des chaussures trop petites parce que nous les avons choisies en fonction de la largeur ou du cou-de-pied d'un seul de nos pieds. Lorsque les chaussures sont trop grandes, les pieds manquent de tenue. On se tord facilement la cheville ou bien l'on trébuche et l'on développe des ampoules. Les chaussures trop étroites, quant à elles, peuvent provoquer des irritations et des inflammations.

L'intérieur de la chaussure est également important. Nous ne devrions ni transpirer, ni non plus avoir froid dedans. Il est dommage de chercher à économiser sur les chaussures. La forme et les matériaux doivent être de très bonne qualité. De nombreuses entreprises vendent aujourd'hui des chaussures orthopédiques de grande qualité, dont les formes sont beaucoup plus modernes qu'autrefois. Les chaussures bonnes pour nos pieds ne sont plus forcément laides !

à savoir

Arrangez-vous pour acheter vos paires de chaussures l'après-midi, étant donné que les pieds gonflent pendant la journée et deviennent plus sensibles à la pression.

COMMENT SE LEVER ET COMMENT S'ASSEOIR

De manière générale, les mouvements brusques peuvent nuire à la colonne vertébrale. Évitez de vous laisser tomber sur un siège ou sur un lit et de vous relever brutalement. Vous épargnerez ainsi votre rachis.

Les talons hauts sont très mauvais pour la colonne vertébrale.

Levez-vous de la manière suivante : faites glisser votre bassin sur le bord de la chaise. Puis, basculez le poids du corps vers l'avant, en gardant votre dos bien droit. Vous pouvez vous aider des accoudoirs ou prendre appui sur vos cuisses. Basculez ensuite le poids du corps sur vos jambes et dépliez-les en vous relevant. Lorsque vous vous asseyez, prenez soin de votre colonne vertébrale en évitant d'entrer en contact trop brutalement avec la chaise.

COMMENT SOULEVER, SE BAISSER ET PORTER CORRECTEMENT

Vous sortez les packs d'eau de la voiture, votre enfant de son siège-auto, vous ramassez le linge à laver, un sac de terre ou bien vous rapportez les commissions. Les charges que nous portons tous les jours sont nombreuses et nous n'en sommes pas toujours conscients. Or, les différentes parties du dos sont extrêmement sollicitées lorsque vous réalisez l'action de soulever. Et c'est au moment où l'on soulève que se produit généralement le fameux lumbago. Il est donc essentiel d'apprendre à soulever convenablement.
La règle de base est la suivante : on soulève l'objet le plus près possible du corps. Il ne faut surtout pas tendre vos bras et maintenir l'enfant, ou le sac à distance, mais il faut au contraire plier vos bras et apprendre à soulever le poids contre vous.

Si vous devez porter des charges lourdes, pensez à bien répartir le poids sur les deux bras. Il est préférable de porter un sac dans chaque main qu'un seul sac très pesant dans une seule main ou sur une seule épaule. Le fait de porter d'un seul côté peut déclencher de fortes douleurs dans la nuque et dans l'épaule. Le mieux est encore d'utiliser un sac à dos pour faire vos courses. Pensez également à ramasser correctement même des objets légers. Lorsque vous souhaitez ramasser un stylo ou refaire vos lacets, faites un petit pas en avant et accroupissez-vous en gardant le dos bien droit. Ce sont alors les muscles des jambes qui travaillent et non ceux du dos.

Pour vous relever de votre siège, basculez votre poids vers l'avant et redressez-vous à l'aide de vos jambes.

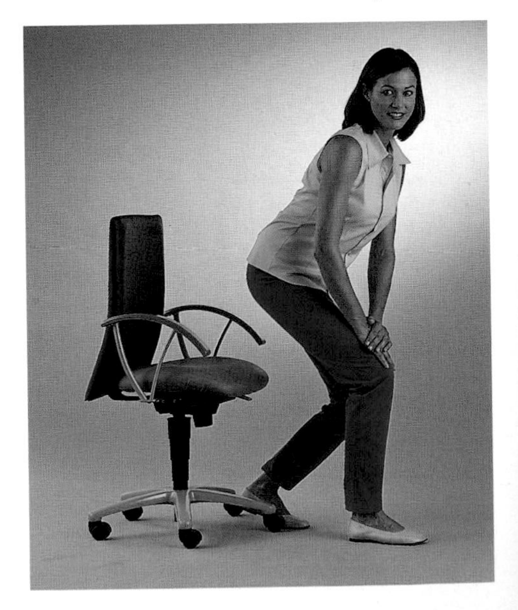

Lorsque vous vous baissez et que vous soulevez une charge lourde, pensez à garder votre dos bien droit. Ce sont les jambes qui doivent travailler.

La technique est déterminante

Vous pouvez vous exercer à porter un pack de bouteilles d'eau par exemple. Répétez plusieurs fois les gestes pour vous permettre de les reproduire ensuite automatiquement.

- Approchez-vous le près possible du pack de bouteilles et placez vos pieds de chaque côté. Vous vous tenez debout, jambes écartées.

- Accroupissez-vous en vous pliant légèrement au niveau du bassin tout en maintenant votre dos bien droit. L'angle de vos genoux ne doit pas être supérieur à 90 degrés, car le poids risque d'endommager leurs articulations. Vous devez avoir l'impression de vous tenir en équilibre.

- Contractez les muscles de votre thorax et de vos jambes, puis saisissez le pack.

- Soulevez maintenant le pack lentement en inspirant et en expirant.

Il est important de ne pas soulever la charge d'un coup mais de fournir cet effort dans un mouvement continu. N'appuyez pas votre buste contre la charge que vous portez car vous risquez d'être victime d'une hernie discale.

Illustration 1
La position est mauvaise car c'est le dos qui travaille.

Illustration 2
La position est bonne car la force des jambes permet de porter le pack d'eau sans faire souffrir votre dos.

Comment sortir les charges lourdes du coffre de la voiture

Vous êtes amené à sortir régulièrement des objets lourds du coffre de la voiture, qu'il s'agisse de valises ou de sacs de commissions. Or, il est important de savoir comment procéder convenablement. Approchez-vous du pare-chocs et appuyez vos jambes fléchies contre celui-ci. Saisissez la charge et faites-la glisser jusqu'au bord du coffre près de vous. Vous pouvez maintenant la soulever en prenant soin de ne pas étirer votre dos ! Ne fournissez pas un effort brutal, mais marquez un arrêt avant de poursuivre. Pour poser l'objet, maintenez-le d'abord le plus près possible du corps, puis descendez-le lentement, jambes fléchies et dos droit, légèrement courbé en avant. Accroupissez-vous et déposez l'objet.

Comment porter son enfant

Combien de fois par jour, sommes-nous amené à prendre le petit dans nos bras, à le sortir de son lit ou de la poussette ? Difficile à dire. Mais une chose est certaine, ces gestes sont extrêmement fréquents. Or, à force de répétitions, ces mouvements peuvent endommager considérablement nos disques intervertébraux. N'oublions pas qu'un tout petit enfant pèse entre quatre et dix kilos. Du fait déjà de la grossesse et de l'accouchement, les mères sont particulièrement exposées aux problèmes de dos. En outre, ce sont surtout elles qui portent l'enfant pendant les premières semaines qui suivent la naissance. Au fil de la grossesse et en raison des modifications hormonales, les ligaments et les tendons se sont assouplis, facilitant ainsi le passage de la tête du bébé par le bassin.
Ces modifications physiologiques se résorbent au bout d'un an seulement, et les ligaments et tendons retrouvent finalement leur résistance d'origine.
C'est pour cela que les mères ont vraiment intérêt à savoir porter leur enfant sans nuire à leur propre dos. Lorsque vous attrapez votre enfant, vos bras doivent toujours être pliés et non tendus. L'enfant est destiné à s'alourdir avec les mois et les années, et il est essentiel de prendre les bonnes habitudes dès sa naissance. Lorsque vous le portez, pensez à le changer régulièrement de côté. Il n'est pas bon de porter un enfant systématiquement du même côté.

COMMENT S'ALLONGER

Nous passons pas moins d'un tiers de notre vie en position couchée. Ce qui se passe pendant le repos nocturne relève de l'inconscient. Le corps et l'esprit se régénèrent, nous permettant de reprendre nos activités le jour suivant. La position couchée est la position la plus agréable pour la colonne vertébrale car elle permet aux disques intervertébraux de se réhydrater (voir page 23). Lorsque nous dormons, nous

ne pouvons veiller à la manière dont nous sommes couchés. Or, nous changeons près de 60 fois de position la nuit. Il est donc important de nous donner toutes les chances pour ne pas nous réveiller le matin complètement « rompus », ce dont se plaignent 30 % des gens.
Il est généralement préférable de dormir sur un matelas trop dur que trop mou.

La bonne position pour dormir

Les courbures naturelles de la colonne vertébrales sont respectées au mieux, lorsque nous nous couchons sur le dos ou en chien de fusil, sur le côté. Il est déconseillé aux adultes de se coucher sur le ventre, car la tête est tournée sur le côté et se contorsionne, risquant de provoquer des contractures dans la région du cou et de la nuque. De plus, cette position ne favorise pas la plénitude de la respiration. Lorsque vous vous couchez sur le dos, il faudrait prendre soin de ne pas tendre les jambes. En outre, vous pouvez glisser un petit coussin sous les vertèbres lombaires. Les jambes doivent reposer bien détendues et tournées vers l'extérieur.
Si vous préférez vous coucher sur le côté, fléchissez la jambe qui est dessus, tandis que celle qui repose dessous doit être légèrement plus tendue. La tête est maintenue en place par un oreiller bien ferme.

La literie

Même le meilleur lit ne peut supprimer à lui seul le mal de dos et, à l'inverse, les mauvais matelas ne sont pas les seuls responsables de nos problèmes. Cependant, un bon lit peut améliorer notablement la qualité du sommeil et normalement empêcher l'aggravation des problèmes de dos.

Lorsque vous dormez sur le côté, en chien de fusil, vous pouvez glisser un oreiller peu épais entre les genoux pour empêcher ceux-ci de frotter l'un contre l'autre.

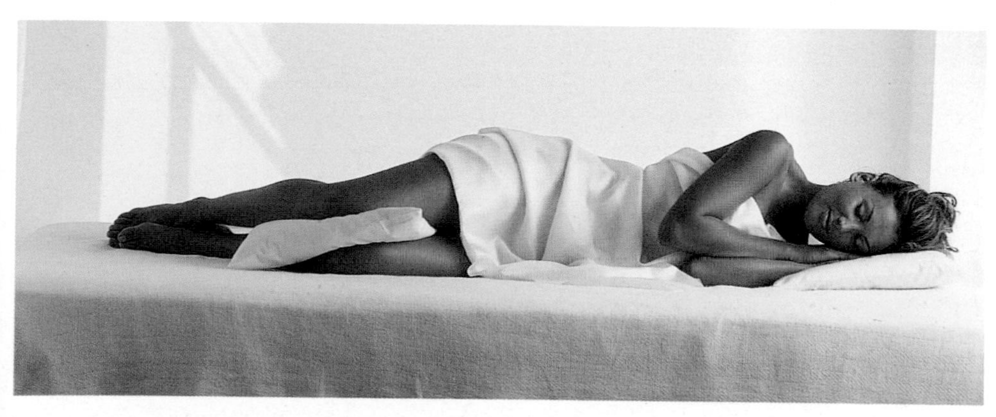

Il est recommandé de vous faire conseiller dans une boutique spécialisée, lors de l'achat de votre lit. Celui-ci, comme vos chaussures, doit répondre à votre demande individuelle. Le tester en s'allongeant une fois dessus n'est généralement pas suffisant. Certaines entreprises proposent le prêt d'un lit pour quelques jours, afin que le client puisse faire son choix en toute connaissance de cause.

L'achat d'une literie

Un lit doit mesurer un minimum d'un mètre en largeur et dépasser de 20 centimètres en longueur la taille de la personne à laquelle il est destiné. La hauteur idéale est de 45 à 55 centimètres. Pour les personnes âgées, la hauteur du lit doit être plus importante car il est ainsi plus facile de se lever. Il faudrait penser à changer de sommier à lattes tous les 10-15 ans. Un matelas a une durée de vie de 10 ans. Au-delà de cette durée, il perd ses qualités d'amortisseur. Le sommier à lattes et le matelas doivent être adaptés l'un à l'autre. La qualité d'un lit dépend pour un tiers du sommier.

Le sommier à lattes

Les sommiers sont en constant perfectionnement. Les fabricants tentent de répondre de manière toujours plus ciblée aux besoins des clients.
La grande nouveauté du moment est un système de suspension à torsions. Il permet de servir d'appui à certains endroits précis de la colonne vertébrale. Le fabricant peut ainsi proposer des sommiers correspondant aux particularités anatomiques de chacun de ses clients, sachant que ces articles présentent l'avantage de pouvoir être modifiés à tout moment. Dans le cas de sommiers plus simples, les lattes peuvent être renforcées par endroits ou bien retirées.

Les matelas et les sommiers s'usent eux aussi. Il ne faut pas oublier d'en changer.

à savoir

Acheter un lit nécessite de prendre son temps.
Testez toujours votre nouveau couchage avec des oreillers. Mettez-vous dans différentes positions, et surtout prenez votre temps avant d'acheter.
Procédez à cet achat en compagnie de la personne avec laquelle vous vivez. Si vous ne pesez pas le même poids et si vous avez différentes habitudes de sommeil, il serait préférable que chacun ait son propre matelas, à moins que vous n'envisagiez de dormir sur des lits jumeaux rapprochés.

Le matelas

Le matelas ne devrait être ni trop mou ni trop dur, mais dépendre surtout de la constitution physique de celui auquel il est destiné. Dans tous les cas, la colonne vertébrale doit impérativement pouvoir reposer bien droite. Les gens allergiques doivent prendre certaines précautions avant l'achat, en demandant conseil notamment sur le choix du matériau.

L'oreiller

Il est important, pour faire le choix d'un oreiller, de vérifier que lorsque vous êtes couché sur le côté, la tête, le cou et la colonne vertébrale se succèdent en ligne droite.

Les grands oreillers (80 sur 80 centimètres) ne sont généralement pas conseillés. Étant donné que pendant le sommeil, vous ne pouvez veiller à la position de votre corps, les vertèbres cervicales devraient reposer sur un oreiller bien adapté. L'idéal est de dormir sur un oreiller qui s'arrête aux épaules (40 sur 80 centimètres). Le menton ne fait pas pression sur le sternum et la tête repose librement et bien droite. L'oreiller nucal est une affaire d'habitude. Une période d'adaptation est parfois nécessaire. Ses bords relevés permettent de fixer la tête et de protéger les cervicales. Il est surtout recommandé aux gens souffrant de cervicalgie, cou raide, arthrose…

Concernant le choix du tissu, les critères à prendre en compte sont le lavage et la rétention de l'humidité. Faites attention à la stabilité de la forme de l'oreiller. Les gens allergiques doivent là encore se renseigner précisément pour faire le juste choix des matières. Les oreillers à plumes ne sont pas forcément les meilleurs, car ils perdent rapidement leur forme, faisant alors plonger la tête. En outre, les plumes collent dès que l'on transpire et perdent leur fonction de maintien. Ces oreillers qui sont des nids à poussière et à moisissures ne sont pas du tout adaptés aux gens allergiques.

Les lits à hauteur réglable

Les lits dont la hauteur est réglable sont conseillés aux personnes âgées. Il leur est effectivement plus facile de se lever d'un lit élevé. Ces lits sont généralement réglables en tête comme en pied, permettant aux gens âgés de manger, lire ou de regarder la télévision dans leur lit.

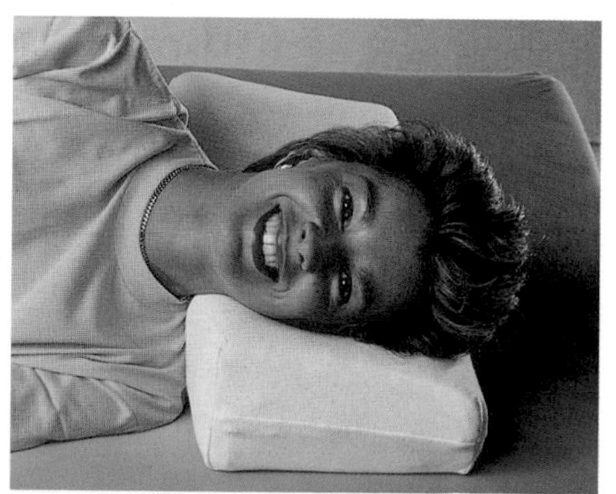

Un bon oreiller doit servir d'appuie-tête et non d'édredon dans lequel la tête s'enfonce.

Les asthmatiques respirent mieux dans une position semi-assise. Ceux qui souffrent de problèmes circulatoires devraient dormir en surélevant légèrement les jambes, tandis que les gens sujets à des difficultés cardiaques ou bien à des aigreurs d'estomac auraient intérêt à surélever la partie supérieure du corps. Le lit réglable est adapté à tous ces types de constitution.

La température de la chambre

Lorsque vous avez acheté votre lit, pensez à bien réguler la température de votre chambre. Pendant le sommeil, la température du corps est plus basse que lors de la phase d'éveil. Si la température de la chambre est trop fraîche, les muscles se contractent. Elle doit idéalement être de 18 degrés, tandis que celle du lit doit varier entre 28 et 32 degrés. Ne dormez pas trop près de la fenêtre, car vous risquez de vous exposer aux légers courants d'air. Vérifiez l'espace entre le sol et le lit. S'il est insuffisant, l'air ne peut circuler convenablement.

Comment sortir du lit

Il est important de savoir se lever correctement. Évitez de bondir hors de votre lit car vos muscles ne sont pas encore réchauffés.
Apprenez à faire comme les chiens et les chats. Roulez-vous sur le lit et étirez-vous à volonté. Cela fera grand bien à vos articulations, et particulièrement à vos genoux.

En quelques mouvements, voici comment vous mettre debout : glissez d'abord jusqu'au bord du lit, puis tournez-vous sur le côté (illustration 1). Prenez appui sur votre avant-bras et relevez ainsi votre buste (illustration 2). Restez assis un court instant, le temps à la circulation sanguine de se réactiver. Vous pouvez ensuite vous mettre debout et commencer la journée.

Ne vous mettez pas debout brutalement mais procédez par étapes, en vous glissant d'abord sur le côté.

À L'AISE DANS SA VIE ET DANS SON TRAVAIL

Vous êtes amené, tous les jours, sans en avoir conscience, à exécuter une succession de mouvements récurrents, mais susceptibles de provoquer des phénomènes d'usure s'ils ne sont pas réalisés correctement. Ce sont souvent de tout petits détails qui doivent être modifiés et qui peuvent pourtant avoir un impact important. Vous serez surpris de voir comment des modifications très simples peuvent soulager votre colonne vertébrale. Dans la vie professionnelle, il est possible de protéger son dos en organisant différemment le bureau, en changeant de meubles, chaise, plan de travail, etc. Dans la cuisine, dans la salle de bain comme dans l'atelier et le jardin, il est également possible d'adopter certains mouvements très simples qui épargnent considérablement notre colonne vertébrale.

LE DOS ET LE TRAVAIL

Certaines professions sollicitent beaucoup le dos, notamment lorsqu'il faut toujours porter des charges lourdes du même côté ou que certains mouvements monotones sont répétés quotidiennement. Il est alors important de ne pas prolonger les mauvaises postures à l'instar du mécanicien lorsqu'il se penche au-dessus du moteur d'une voiture pour le réparer, ou du peintre quand il doit enduire le plafond au-dessus de sa tête.

Rester longtemps assis sur une chaise inadaptée est également très mauvais pour le dos.

L'idéal, évidemment, serait d'éviter complètement les mouvements susceptibles de nuire à notre corps, mais dans certains métiers, cela est impossible. La médecine du travail a été mise en place pour réglementer et contrôler les conditions de travail des salariés. En théorie, un employé ne devrait entreprendre aucune activité susceptible de nuire à sa santé.

Les petits changements ont des effets importants. Ceci est l'un des principes de base dans les méthodes de protection du dos.

Il paraît donc normal, avant de démarrer une activité professionnelle, de consulter le médecin, afin d'éliminer tous les risques de nuisance à la santé. En pratique, certains corps de métiers sont plus exposés que d'autres.

Exercices de détente à faire au bureau

Après plusieurs heures passées derrière son bureau ou au volant de sa voiture, les muscles des épaules et de la nuque sont particulièrement contractés. Des exercices très simples permettent de les détendre. Levez-vous, puis allez et venez quelques instants. Secouez énergiquement bras et jambes et consacrez quelques minutes aux exercices suivants.

Balancer les bras

Fléchissez légèrement les genoux et balancez vos bras devant vous en sens contraire depuis les épaules. Fléchissez davantage lorsque vos bras se rencontrent.

Faire des cercles avec les épaules

Faites des cercles avec vos épaules, en avant puis en arrière, dans le même sens, puis en sens contraire. Regardez bien droit devant vous.

Voici les métiers qui exposent aux problèmes de dos

• Les monteurs et ouvriers à la chaîne qui travaillent dans de mauvaises postures et effectuent des mouvements monotones plusieurs heures d'affilée. En outre, ils soulèvent souvent des charges lourdes.
• Les vendeurs et caissières qui restent constamment assis ou debout.
• Les jardiniers et les paveurs qui travaillent le dos courbé, des heures durant. Les paveurs sont également exposés au risque d'arthrose des genoux.
• Les camionneurs qui restent assis longtemps et subissent continuellement les secousses et le stress de la conduite.
• Les personnes du corps médical : les infirmières et les aides-soignantes des personnes âgées, qui doivent fréquemment soulever leurs patients et faire des horaires contraignants.
• Tous les corps de métiers qui font surtout travailler un seul côté du corps comme le dentiste, le coiffeur, le rédacteur et le correcteur, etc.

Il est parfois possible de faire une petite pause au travail pour décontracter ses muscles. Cela est par ailleurs vivement conseillé, quelle que soit votre profession.

Grimper à la corde
Étendez vos bras vers le haut et faites-les travailler comme si vous grimpiez à la corde. Recommencez le mouvement en ouvrant et en refermant les mains de manière énergique. Prenez garde à maintenir votre tête bien droite sans faire souffrir la nuque. Vous pouvez également vous mettre sur la pointe des pieds.

Les mains en crochet
Mettez vos mains en crochet devant votre thorax comme indiqué sur l'illustration ci-contre. Tirez ensuite sur vos bras et vos avant-bras. Maintenez cet effort 8 à 10 secondes en inspirant et en expirant calmement. Répétez l'exercice plusieurs fois.

Faire pression
Appliquez, l'une dans l'autre, la paume de vos mains et pressez-les jusqu'à ce que vous ressentiez une forte tension dans les muscles du bras et du thorax. Poursuivez cet effort 8 à 20 secondes en inspirant et en expirant calmement. Répétez l'exercice plusieurs fois.

Repousser la table
Placez-vous devant une table, un pied devant l'autre, tous deux posés à plat sur le sol. Fléchissez légèrement la jambe avant, tandis que vous tendez la jambe arrière. Appuyez-vous sur la table et faites comme si vous souhaitiez la repousser. Votre jambe avant fléchit automatiquement davantage et vous ressentez une tension dans le mollet de la jambe arrière. Maintenez la pause 20 secondes, en inspirant et en expirant calmement. Répétez l'exercice deux ou trois fois et changez ensuite de jambe. Une variante de cet exercice vous est expliquée à la page 134. La pression est ici exercée contre un mur et non contre une table.

Les mains sont accrochées l'une à l'autre tandis que les bras et les omoplates travaillent.

Les paumes des mains font pression l'une contre l'autre et sollicitent les muscles des avant-bras.

S'ACTIVER DANS LA MAISON ET LE JARDIN EN MÉNAGEANT SON DOS

Dans la salle de bains

La journée commence avec les ablutions dans la salle de bain, après vous être étiré dans le lit. Faites attention de ne pas trop vous pencher au-dessus du lavabo quand vous vous brossez les dents, car cette position est mauvaise pour le dos. Lorsque plusieurs personnes dans la maison utilisent le même lavabo, il est évidemment impensable de le mettre à bonne hauteur pour chacun. Voici donc quelques conseils :

- Fixez votre miroir à hauteur de visage, afin de pouvoir vous maquiller ou vous raser debout.
- Évitez de vous plier en deux au-dessus de la baignoire pour vous laver les cheveux. Il est préférable de vous accroupir ou bien de vous laver les cheveux lorsque vous vous douchez ou que vous prenez votre bain.
- Essayez de vous laver les dents en vous tenant bien droit et non en vous courbant au-dessus du lavabo.
- Même si cela vous paraît incongru : asseyez-vous bien droit sur la lunette des toilettes. Il arrive souvent que la mauvaise position assise, prolongée à cause d'un problème de constipation, fasse pression sur les disques intervertébraux, provoquant une hernie discale.

Dans la cuisine

Afin de vous éviter des problèmes de dos, il est conseillé d'aménager votre cuisine en fonction de la taille de la personne qui doit y travailler. Les anciennes cuisines ont souvent des plans de travail positionnés trop bas, car les gens étaient alors de plus petite taille. Nous sommes donc souvent obligés, actuellement, de nous courber pour faire la vaisselle ou couper les légumes.
Voici quelques astuces d'aménagement très simples.

- Dans un évier trop bas, posez une cuvette retournée, et dessus une autre cuvette dans le bon sens pour élever le niveau. Ou bien posez une planche de bois sur deux cubes.
- Il est important de bien organiser le rangement des ustensiles dans les placards. Placez ce que vous utilisez le plus souvent à hauteur du buste.

L'idéal serait de fixer les principaux éléments de votre salle de bain en fonction de votre taille.

Le plan de travail de la cuisine ne doit pas être positionné trop bas et vous obliger sans cesse à vous courber.

• Évitez de placer des objets trop haut ou bien trop bas pour vous. Il est conseillé de mettre les ustensiles les plus courants, comme le micro-ondes et le réfrigérateur, à la hauteur du plan de travail.

Le lave-linge

Les vêtements mouillés sont lourds, d'où l'importance de porter convenablement la corbeille à linge (voir page 82). Les corbeilles à roulettes sont très pratiques. Par ailleurs, ne vous courbez pas en deux pour vider ou remplir votre lave-linge. Le mieux est de vous accroupir. Pour étendre le linge, utilisez un séchoir placé à hauteur des épaules. Pensez à poser votre cuvette de linge sur un tabouret. Vous éviterez ainsi de vous baisser pour attraper les vêtements.

Le repassage

La table à repasser devrait être positionnée à quelques centimètres au-dessous du coude. Lorsque vous devez repasser longtemps, il est préférable de poser un pied sur un tabouret ou bien de vous asseoir.

Lorsque vous devez porter une cuvette remplie de linge mouillé, pensez aux mouvements qu'il est recommandé de faire pour soulever une charge (voir page 82).

Lorsque vous repassez assis, la table doit également être positionnée à quelques centimètres au-dessous du coude.

Le ménage

Pour faire le ménage sans avoir à vous contorsionner, il est conseillé de passer l'aspirateur en utilisant un long tuyau. Vous atteindrez ainsi, sans effort, les endroits les plus difficiles d'accès. Nombreux sont également les balais qui ont à l'heure actuelle des manches télescopiques. Pour le lavage des sols, il existe différents ustensiles qui évitent d'avoir à se baisser.

Si toutefois vous deviez quand même travailler à genoux, pensez à glisser dessous des coussins spéciaux comme ceux que le carreleur utilise.
Lorsque vous devez vous activer en hauteur, n'hésitez pas à grimper sur un escabeau.

Faire les lits

Lorsque vous rabattez les couvertures, approchez-vous du lit au maximum. Évitez de vous pencher et passez plutôt de l'autre côté du lit. Prenez appui avec vos genoux sur le bord du sommier.

Beaucoup de tâches ménagères sont fatigantes. Quand vous le pouvez, faites-vous aider.

Le jardinage

Au début du printemps, lorsque le soleil darde ses premiers rayons, commence la saison du jardinage. C'est également la période la plus chargée pour les orthopédistes...

Effectivement, alors que les gens se sont cloîtrés chez eux pendant tout l'hiver, ils se mettent à s'activer inconsidérément dans leur jardin dès l'arrivée des beaux jours, s'exposant à des lumbagos et des hernies discales. Voici quelques astuces qui vont permettront de ne pas compter parmi les victimes :

- Utilisez exclusivement des ustensiles de jardinage à long manche.
- Pour retourner la terre, enfoncez la bêche en posant votre pied dessus et en faisant peser ensuite le poids de votre corps. Ce sont alors vos genoux qui travaillent et non votre dos.
- Accroupissez-vous ou bien mettez-vous à genoux plutôt que de rester debout et courbé. Glissez un tapis ou un coussin sous vos genoux.
- Asseyez-vous sur un pot de terre retourné pour désherber.
- Transportez uniquement de petites quantités dans la brouette. Utilisez une brouette dont la roue est située au centre.
- Achetez deux petits sacs de terre plutôt qu'un gros.
- Prenez garde à ne pas prendre froid. Lorsque l'on s'active dans le jardin, on ne perçoit plus exactement la température ambiante. On se refroidit facilement et les muscles se contractent.
- Ne vous épuisez pas trop au travail. Sachez vous arrêter à temps et vous reposer en prenant un bon bain chaud.

Pour le jardinage, utilisez des ustensiles à long manche.

Désherber est mauvais pour le dos. Pour ce faire, asseyez-vous sur un tabouret de jardin.

• Lorsque vous souhaitez sortir votre salon de jardin du garage, n'oubliez pas les gestes vous permettant de soulever, porter et tirer en ménageant votre dos. Ne portez pas les charges lourdes seul, mais faites-vous aider.

• Transportez les grosses caisses à l'aide d'une planche à roulettes, ou bien tirez-les.

Le bricolage

Les amateurs qui se lancent dans des activités de bricolage et de rénovation ne sont généralement pas musclés en conséquence et ne disposent pas d'outils professionnels. Lorsque vous peignez les murs et que vous posez du papier ou de la moquette, n'oubliez pas de faire des pauses régulières et quelques petits mouvements de gymnastique.

Voici quelques règles de base à respecter :

• Travaillez toujours près du corps, sans étendre les bras et le dos. Utilisez un escabeau que vous déplacez selon vos besoins.

• Soulevez les pots de peinture selon la méthode préconisée dans le chapitre précédent et portez-les près du corps. Achetez de préférence deux petits pots de peinture plutôt qu'un seul gros et lourd.

• Lorsque vous peignez les murs, évitez les mouvements trop amples et le travail au-dessus de votre tête, afin de ménager votre nuque. Utilisez des pinceaux à long manche et un escabeau.

• Changez le pinceau de main, pour éviter de solliciter un seul côté du corps.

• Lorsque vous percez, arrangez-vous pour le faire à hauteur des yeux.

Lorsque l'on bricole ou que l'on rénove une maison, il est important d'effectuer des mouvements qui ménagent le dos.

LE VOYAGE

Aujourd'hui, les gens partent plus souvent et plus loin en vacances. Pour ceux qui souffrent du dos, les déplacements en bus, avion et train sont des sujets d'appréhension. Pourtant, il existe des moyens simples de ménager son dos.

La préparation des bagages

La classique du genre est d'emporter avec soi beaucoup plus que nécessaire. Or, il serait bon d'essayer de faire le tri. Plutôt que de partir avec une grosse valise, répartissez vos affaires dans plusieurs petits sacs. Les valises à roulettes sont évidemment idéales.

Certaines sont réglables en hauteur, permettant d'adapter la poignée à la taille de la personne. Les sacs à dos font de parfaits bagages à main.

Le voyage en train

Les trains sont très variables. Dans les plus modernes, les sièges sont conçus pour laisser suffisamment de place aux jambes, tandis que dans les trains plus anciens, les sièges ne sont généralement pas réglables et ne comportent pas d'appuie-tête. Il serait bon alors que vous pensiez à emporter un coussin pour votre nuque et un autre pour vos lombaires. Ne restez pas assis plus d'une heure sans vous lever et faire quelques mouvements.

Ne prévoyez pas des horaires serrés lors des changements de trains, car les couloirs et escaliers menant d'un quai à un autre sont souvent longs. Faites-vous aider par le contrôleur ou les voyageurs pour descendre vos bagages.

Le voyage en voiture

Lors des déplacements en voiture, il est important de faire une pause au moins toutes les deux heures. Cela permet de reposer le corps, le dos et l'esprit. Au bout de deux heures, même chez les conducteurs expérimentés, la concentration est moins soutenue. Vous trouverez à la page 78 les informations concernant la conduite automobile.

Le poids du sac à dos se répartit équitablement sur les deux côtés du corps. Faites attention tout de même à ne pas le surcharger !

Lorsque vous devez rester longtemps assis, accordez quelques minutes régulières de détente à votre corps et à votre dos.

Si vous disposez d'un certificat médical, certaines compagnies aériennes s'arrangeront pour vous donner un siège disposant d'un espace plus vaste pour vos jambes.

Le voyage en avion

L'espace de chaque voyageur est très exigu dans les avions. N'hésitez pas à emporter un coussin pour la tête et un autre pour les lombaires. Ne laissez aucun sac à vos pieds afin de vous ménager le maximum de place.

Dans l'avion, prenez soin de vous lever et de faire quelques pas toutes les heures. Vous pouvez éventuellement effectuer les exercices indiqués aux pages 90 et 91 de notre ouvrage.

Les lits d'hôtel

Les lits d'hôtel pourraient faire l'objet d'un chapitre entier ! Ils sont souvent trop vieux, mous ou modestes. Si l'état de votre lit est vraiment inadmissible, n'hésitez en aucun cas à en exiger un autre. Si le suivant est trop mou, il est préférable de dormir sur le dos en glissant un oreiller sous les genoux.

Vous pouvez également dormir en chien de fusil avec un oreiller placé entre les deux jambes. Dans le pire des cas, posez le matelas à même le sol ou bien demandez une planche que vous pourrez glisser dessous.

Si vous avez des problèmes de dos, n'hésitez pas lors de vos voyages à demander à l'hôtelier un lit plus convenable.

LE DOS ET LA SEXUALITÉ

Le Kama-Sutra, l'enseignement indien de l'amour, est un véritable défi pour nos disques intervertébraux, car les positions qu'il prône exigent une grande souplesse. Ce qui semble difficile aux gens en bonne santé, ne peut être évidemment vécu que comme un obstacle important par les gens plus fragiles.

Pour les victimes du mal de dos, la sexualité représente une grosse difficulté. Après une crise ou même une opération, le convalescent redoute le faux mouvement. Les gens victimes de hernie discale sont plutôt jeunes, et le thème de la sexualité devrait être pris sérieusement en considération par les médecins, car une sexualité épanouie est essentielle au bien-être.

Certaines positions sont plus adaptées que d'autres aux dos fragiles. Mais le plus important est que vous-même et votre partenaire ne subissiez pas de pression. Rapprochez-vous dans la détente et dans une atmosphère sereine, car la peur provoque des tensions. Prenez votre temps et discutez de vos appréhensions et de vos préoccupations avec votre conjoint.

Ne vous laissez pas envahir par les problèmes, car ceux-là aussi nuisent à votre dos.

Le dos en tant que zone érogène est encore très peu connu. Mais une chose est certaine : il est sensible aux caresses.

Les mouvements qui font courir le moins de risque sont ceux qui mobilisent le bassin sans solliciter le dos, comme les positions sur le côté. Le poids du partenaire lorsqu'il est dessus peut faire pression sur la colonne vertébrale de celui qui est dessous. Les malades du dos ont donc intérêt à privilégier les positions qui les placent au-dessus de l'autre. Ils peuvent ainsi mieux contrôler leurs mouvements et s'immobiliser si la douleur survient.

Dans le chapitre « Un dos tonique et robuste », les exercices décrits concernent l'axe du bassin (à partir de la page 117). Ces mouvements peuvent être adaptés aux jeux de l'amour. Commencez par bouger très lentement afin de tester la mobilité de votre dos. Si vous avez des doutes ou des questions, n'hésitez pas à consulter votre médecin.

Les patients souffrant du dos se sentent fréquemment « handicapés » au moment des jeux de l'amour.

LE DOS ET LE SPORT

Qui peut faire du sport ?

La réponse est simple : toute personne en bonne santé peut commencer à tout âge à entretenir son corps. L'activité physique, à condition qu'elle soit bien adaptée, ralentit le vieillissement du muscle. Les muscles sont les véritables points d'appui du dos et leur entretien est une excellente prévention.

Il est important de consulter un médecin avant d'entreprendre un sport intensif. Cela est valable aussi bien pour ceux qui commencent un sport que pour ceux qui reprennent une activité sportive après une pause prolongée.

Le test de contrôle

Dès l'âge de 35 ans, il est avant tout nécessaire de vérifier qu'il n'y a pas de risque de maladie cardiaque. L'examen général de la médecine du sport permet de vérifier si les muscles sont pleinement fonctionnels et si les articulations sont saines. Les malformations congénitales de la rotule ou de la constitution de la jambe peuvent provoquer une usure du cartilage du genou qui dégénère à terme en arthrose. Ces malformations peuvent rentrer dans l'ordre avec des moyens très simples. C'est la raison pour laquelle un check-up est indispensable pour les sportifs.

Les bienfaits du sport

Que signifie être en bonne condition physique ? En médecine du sport, la condition physique fait référence à la force, la coordination, la souplesse, l'endurance et la vitesse que l'on doit développer. Le facteur plaisir est également important, car sans plaisir, on ne poursuit pas longtemps un entraînement physique.

Le mouvement empêche l'usure des cellules du muscle. Or, les sports d'endurance comptent parmi ceux qui influencent notre corps le plus favorablement.

- Ils accélèrent la circulation sanguine et renforcent le muscle cardiaque.
- Ils font baisser la tension dans les cas d'hypertension.
- Ces sports agissent positivement sur le métabolisme. Les diabétiques sont particulièrement concernés.
- Ils renforcent le système immunitaire.
- Ils permettent de perdre du poids et de modifier la répartition des graisses.
- Ils renforcent les muscles.

Le sport inhibe la transmission de la douleur, qui devient alors moins perceptible. C'est là, pour beaucoup de victimes de maux de dos, une motivation suffisante pour faire de l'exercice.

Le sport est le meilleur soin du muscle. Il n'est jamais trop tard pour commencer l'entraînement.

Le sport et le psychisme

Qui n'a jamais ressenti de bien-être extrême après une activité sportive ? On se sent généralement frais et dispos ou bien accablé par une saine fatigue, tandis que l'esprit est dans un état de parfait équilibre.

L'explication médicale est très simple. L'activité sportive augmente de 40 % l'afflux du sang vers le cerveau, et cet effet persiste plusieurs heures après la fin de l'exercice. Dans les situations extrêmes comme celle du saut à l'élastique ou des compétitions sportives, le corps produit une sorte d'hormone du bonheur (l'endorphine). C'est la « drogue du sport » dans le sens positif du terme.

À chacun ses préférences en matière d'activité sportive. Certains privilégieront les sports d'endurance pour diminuer leur stress, tandis que d'autres choisiront des sports de compétition. Au bout du compte, l'effet produit est le même : on élimine le stress et les hormones du stress. D'un point de vue psychologique, le sport favorise :

- La confiance en soi et la prise de conscience de soi-même par l'expérimentation des modifications positives du corps.
- La capacité à prendre des risques et la force de décision.
- Une saine évaluation de soi-même.
- L'entretien d'un état d'esprit sain, facteur d'équilibre dans le travail et le quotidien.

Faire du sport, oui. Mais à quel rythme ?

Une personne en bonne santé peut solliciter son corps aussi longtemps que les muscles ne sont pas fatigués. Une fois cette limite atteinte, les muscles douloureux mettent automatiquement un terme à l'exercice. Ce mécanisme naturel de protection permet de préserver les organes internes et le muscle cardiaque. L'activité sportive devient dangereuse lorsque le cap naturel de la douleur est franchi, comme dans le cas d'absorption de drogues par exemple.
En règle générale, mieux vaut faire peu de sport que pas du tout, sachant qu'une activité régulière améliore la condition physique. Il est préférable de faire dix minutes d'exercices par jour, plutôt que d'effectuer en quelques heures le programme de toute une semaine. Les spécialistes de la médecine sportive conseillent de faire trois fois 30 minutes de sport par semaine. Le corps ne doit pas être exagérément sollicité et nécessite un contrôle régulier de la tension artérielle.

L'endorphine que le corps fabrique notamment pendant la pratique d'un sport d'endurance, produit un effet d'euphorie et génère un sentiment de bonheur.

Le pouls du sportif

Pendant l'exercice, le pouls fonctionne au rythme de 180 battements par minute, auxquels on soustrait l'âge de la personne. Un pouls entre 120 et 150 battements par minute pendant l'exercice est parfaitement équilibré. Le sportif perd alors des graisses, car le corps s'alimente en énergie grâce à la réserve de graisses.

Pour trouver la fréquence cardiaque optimale, on utilise la concentration d'acide lactique dans le sang en prélevant du sang sur l'oreille d'une personne en train d'effectuer un effort important (le plus souvent sur une bicyclette). Si la teneur en acide lactique dépasse une certaine limite, le pouls est trop rapide. Ceci s'explique par le fait que lorsque le muscle fournit trop d'efforts, il fabrique de l'acide lactique qui nuit à la régénérescence du muscle et atténue les effets de l'entraînement.

Le seuil à partir duquel l'acide lactique se forme, est franchi aux alentours de 170 battements cardiaques par minute. Ce seuil est propre à chacun et dépend de l'entraînement du moment.

Le sport est un apport d'équilibre au quotidien. Il aide à lutter contre le stress et renforce la prise de conscience de soi-même.

La mesure du pouls permet de surveiller l'activité cardiaque pendant l'effort.

à savoir

Il est important d'être bien conseillé.

Renseignez-vous auprès de votre médecin du sport ou de votre entraîneur. Ils vous aideront dans le choix des vêtements de sports, des chaussures etc.

Voici quelques astuces destinées à faciliter l'entraînement physique :

• Commencez chaque fois votre entraînement lentement et très patiemment. Augmentez progressivement la cadence. Si vous n'avez jamais pratiqué de sport, vous pouvez commencer par la marche à pied rapide et la bicyclette, ou bien vous joindre à d'autres marcheurs.

La pratique du sport en groupe peut être très plaisante et les gens apprécient de pouvoir échanger leurs expériences.

• Buvez suffisamment, car le corps en activité transpire beaucoup. Ne buvez pas uniquement de l'eau. Un corps qui transpire perd des sels minéraux. Les boissons modernes soi-disant destinées aux sportifs ne sont pas indispensables. Un jus de pomme fera très bien l'affaire. Arrangez-vous pour qu'il ne soit pas trop froid. Ce n'est pas bon pour l'estomac. L'idéal est de le boire à température ambiante et lentement.

• Mettez-vous au sport deux heures après avoir mangé, car l'activité perturbe la digestion.

À partir de quel moment le sport nuit-il à la santé ?

Lorsque vous êtes malade, que vous avez contracté une maladie virale ou infectieuse et que vous ne vous sentez pas en forme, évitez le sport.

Ne vous lancez pas dans une activité sportive sans échauffement préalable, car cela peut nuire à la longue à votre corps et multiplier les risques de déchirure musculaire, etc.

Le calcul de la concentration d'acide lactique dans le sang est pratiqué par un médecin du sport. Votre complexe sportif vous en communiquera les coordonnées.

Pratiquer un sport au sein d'un groupe peut apporter toutes sortes d'agréments.

Si vous n'avez jamais pratiqué de sport ou que vous reprenez une activité après un arrêt prolongé, rappelez-vous que votre corps doit d'abord s'accoutumer aux mouvements qu'il ne connaît pas. Les muscles froids ont besoin d'être échauffés et les petites pauses sont les bienvenues. Lorsque le muscle travaille trop, il réagit souvent par des crampes résultant des contractures.

Le stretching pratiqué avant et après une activité sportive réduit le risque de déchirure musculaire. Puis, commencez votre activité tranquillement et terminez-la en douceur. Ceux qui auront besoin de récupérer jusqu'au cours suivant n'auront probablement pas été bien conseillés.

En conclusion, un bon échauffement est la base de toute activité sportive. On peut ensuite s'adonner au sport de son choix. Si le corps s'est adapté facilement à l'activité choisie, vous pouvez parfaitement envisager d'en pratiquer une autre.

Quelle activité sportive choisir ?

Plusieurs facteurs sont à prendre en compte lors du choix d'une activité sportive.

Si vous êtes sujet aux crampes, plongez-vous dans un bain chaud et massez-vous légèrement.

Êtes-vous plutôt sociable ou solitaire ? Etes-vous souple, ou bien réfractaire à la gymnastique depuis votre plus jeune âge ? Les bases de la coordination s'acquièrent dans l'enfance et les écoliers qui pratiquent plusieurs sports se tourneront plus volontiers à l'âge adulte vers des activités sportives différentes et variées.

Celui qui ne se connaît pas bien dans ce domaine devrait essayer plusieurs activités sportives, afin de savoir laquelle lui est la mieux adaptée.

Faites le point sur votre disponibilité en temps et sur les activités proposées près de chez vous. L'idéal serait de trouver un sport qui favorise la circulation sanguine tout en ménageant le dos. Indépendamment de votre choix, il est recommandé de poursuivre des activités de gymnastique et de stretching. Voici quelques indications sur les différentes activités sportives.

La marche (rapide), le jogging, la randonnée et le ski de fond

Il n'y a pas d'activité plus efficace pour travailler l'endurance que la marche rapide, la randonnée ou le jogging. Il est même fortement recommandé aux gens souffrant de surcharge pondérale et à ceux qui manquent d'entraînement de commencer par la marche rapide, car cette activité ménage les articulations.

Pour courir, choisissez de préférence des sols sans asphalte.

À deux ou dans un groupe de plusieurs personnes, vous serez encore plus motivé. Et si votre rythme vous permet de discuter, c'est encore mieux !

La marche et la course à pied sont des pratiques excellentes pour le dos.

Pendant la marche, les bras font des mouvements rapides et les pieds ne quittent jamais le sol en même temps.

Le jogging nécessite d'être bien chaussé. Courez plutôt sur des sols souples.

Le ski de fond offre tous les avantages de la marche et de la randonnée. Le fait de glisser sur la neige épargne les coups. En outre, le ski de fond fait travailler les muscles du buste et des bras, impliquant ainsi tout le corps dans l'exercice. La marche pratiquée correctement compte parmi les sports les plus sains qui soient.

La bicyclette

La bicyclette permet également d'activer la circulation sanguine. Le corps n'est pas contraint de porter tout son poids. La bicyclette est donc tout à fait adaptée aux femmes enceintes et aux personnes souffrant de surcharge pondérale.

Dans la pratique du cyclisme, le pouls bat moins vite que dans celle de la marche, parce que la masse musculaire mise en mouvement est moindre. Les patients souffrant du dos doivent se tenir bien droits. Il est préférable d'utiliser des vélos de tourisme, car sur les vélos de course, la position courbée sollicite davantage la colonne vertébrale. Au moment de l'achat de la bicyclette, demandez à ce que l'on règle la hauteur de la selle et du guidon à votre taille et vérifiez que la selle n'est pas trop petite.

La natation et l'aquagym

La natation est le sport idéalement adapté aux gens qui souffrent du dos. Le corps travaille en apesanteur et la colonne vertébrale est peu sollicitée. En outre, le système cardio-vasculaire est remarquablement entraîné et les risques de blessure sont quasi inexistants. Les personnes souffrant des articulations devraient choisir ce sport. Le rythme cardiaque est moins rapide en nageant qu'en faisant du jogging.

Toutes les nages ne sont pas forcément bonnes pour la colonne vertébrale. La brasse accentue la cambrure des reins et de la nuque, et provoque des contractures. En revanche, le dos crawlé et le crawl sont excellents pour le dos. Faites-vous conseiller pour améliorer votre technique.

L'aquagym est un sport relativement jeune, adapté aux gens souffrant du dos et des articulations. La bouée vous donne une grande stabilité dans l'eau et vous pouvez nager à contre-courant. Il n'est pas nécessaire d'être bon nageur pour pratiquer ce sport.

L'aérobic

À condition d'être guidé correctement, l'aérobic peut vous permettre de travailler l'endurance. La coordination des mouvements que l'on effectue au rythme de la musique et en compagnie d'autres personnes, peut devenir un véritable plaisir. Il est indispensable de vous renseigner d'abord sur le niveau et l'intensité du cours. Certains cours sont conçus uniquement pour les gens souffrant de problèmes de dos. Demandez conseil.

Renseignez-vous
auprès de la piscine la plus proche pour connaître son programme d'aquagym.

Les sports de balle

• Les sports d'équipe

Les sports d'équipe comme le football, le basket-ball, le volley-ball et le hand-ball devraient être pratiqués par les gens en parfaite santé, car le système cardio-vasculaire est fortement sollicité. En outre, les risques de blessure sont importants. À déconseiller aux personnes souffrant du dos.

• Le tennis

Le tennis est un sport d'endurance qui permet de développer souplesse, rapidité, force et coordination. Ce n'est pas le sport idéal lorsque l'on souffre du mal de dos. Les mouvements effectués lors du service, du smash, de même que les mouvements de rotation rapides sont à éviter. La pratique de ce sport nécessite une bonne technique.

• Le squash et le badminton

Ces deux sports ne sont pas très recommandés aux gens souffrant du dos, étant donné les mouvements rapides qu'ils nécessitent, ainsi que les démarrages et les arrêts brusques pour rattraper la balle.

Les sports qui nécessitent des mouvements de rotation et de flexion brusques sont déconseillés aux personnes victimes du mal de dos.

À déconseiller aux personnes qui ne sont pas entraînées et aux gens qui souffrent de cervicalgie car la plupart des mouvements se font au-dessus de la tête.

• Le golf

Le golf est un sport équilibrant au quotidien. Il se pratique au grand air, et aide à lutter contre le stress. Il n'améliore pas forcément la condition physique et le système cardio-vasculaire. Les gens qui ont le dos fragile doivent demander conseil au médecin du sport ou bien à leur orthopédiste, car le golf met la colonne vertébrale à rude épreuve par les mouvements de rotation violente.

• Le roller-skate en ligne

À nouveau, il s'agit là d'un sport d'endurance, merveilleux pour maintenir la forme. Il nécessite de posséder une bonne coordination des mouvements.

Ne commencez pas à le pratiquer tout seul et soyez conscient des risques de chute.

Protégez-vous en portant casque, genouillères, etc. N'en faites pas trop et soyez prudent. Les muscles des cuisses et des mollets travaillent dur !

C'est un sport adapté aux personnes fragiles du dos.

Et après le sport : n'oubliez pas les exercices de détente !

Les exercices de détente après l'effort sont aussi importants que les exercices d'échauffement avant l'entraînement. Après l'effort se forme dans les muscles de l'acide lactique contre lequel une marche de 5 à 10 minutes lutte à la perfection. Les exercices de détente et d'étirement permettent également de décontracter les muscles. Cette étape est importante aussi bien pour le corps que pour l'esprit. Il est idéal de faire quelques longueurs de natation. Si le programme de détente est bien suivi, les muscles pourront se régénérer en 12 heures au lieu de 24 heures. Cette phase devrait durer entre 10 et 20 minutes.

En outre, bain, douche, sauna et légers massages sont excellents pour la régénération du corps.

Un bon entraînement commence par un échauffement et s'achève avec des exercices de détente.

Un dos tonique et robuste

Un dos fonctionnel repose sur des muscles toniques et des articulations mobiles. Il est donc indispensable de consacrer une quinzaine de minutes par jour à son entretien.

Ce chapitre se propose de vous indiquer des exercices simples destinés à l'entretien de votre colonne vertébrale. Vous n'êtes pas obligé de les faire tous. Faites votre choix parmi ceux qui vous semblent les plus adaptés à votre condition physique.

Les exercices de stretching expliqués page 131 peuvent être effectués avant un effort, mais aussi à n'importe quel moment de la journée. Les exercices simples indiqués à partir de la page 139 vous permettront d'achever la phase d'entretien quotidien.

ENTRETENIR SA MUSCULATURE

Le secret d'un dos sain réside dans une musculature tonique. Elle stabilise la structure osseuse de la colonne vertébrale et la maintient. Une faiblesse musculaire d'un côté du corps génère des tensions de l'autre côté. C'est ainsi que le droitier fait davantage travailler son bras droit et sa jambe droite. Il en va de même pour les muscles du dos qui fournissent alors un effort plus important du côté droit. Lorsqu'un côté du corps se met ponctuellement à travailler beaucoup plus énergiquement, lors du port d'un sac sur une seule épaule par exemple, des contractures musculaires douloureuses peuvent survenir. Quelques exercices d'entretien quotidien peuvent empêcher ces douleurs de devenir chroniques.

LA STATIQUE ET LA DYNAMIQUE

La musculature a deux fonctions principales : le maintien (la statique) et le mouvement (la dynamique). Pendant le déroulement normal d'un mouvement, les muscles statiques et dynamiques fonctionnent simultanément. Mais la plupart des muscles sont mixtes et s'adaptent à l'effort en développant l'une ou l'autre qualité. C'est ce qui explique que la musculature d'un coureur est différente dans sa fonction et dans sa forme de celle d'un haltérophile. Pourtant, ces deux athlètes sont dotés, au point de départ, des mêmes muscles. On peut donc exploiter cette capacité d'adaptation du muscle en l'entraînant de manière ciblée.

Mais quelles sont les différences entre les muscles statiques et les muscles dynamiques ? Les muscles du maintien peuvent travailler durablement en consommant très peu d'énergie. Ils réagissent plus lentement que les autres. Ce sont notamment les muscles extenseurs du plan superficiel du dos ainsi que les muscles abdominaux. À l'inverse, les muscles dynamiques démarrent rapidement et dépensent beaucoup d'énergie. C'est le cas, par exemple, du grand muscle du mollet.

Les muscles du maintien entrent en action en consommant peu d'énergie, à l'inverse des muscles du mouvement.

Lorsque nous passons de longues heures assis au bureau, nous avons du mal à bouger la tête en fin de journée. Nous pouvons même sentir la dureté de nos muscles dans la nuque. À long terme, la contracture et le raccourcissement des muscles statiques aboutissent à des mécanismes réflexes d'affaiblissement des muscles dynamiques.

En outre, une musculature raccourcie est plus fragile, car elle a perdu de son élasticité. Une élongation brutale peut la déchirer. Les articulations perdent de leur mobilité. Lors d'un raccourcissement du muscle grand fessier qui relie la colonne vertébrale au fémur, l'articulation de la hanche ne peut plus se mouvoir pleinement.

Les patients victimes d'un tel raccourcissement musculaire doivent, pour avancer en se tenant droit, basculer le bassin en avant, ce qui provoque une courbure exagérée au niveau des lombaires.

Cela implique donc que :

- Il est indispensable d'étirer et de tonifier régulièrement les muscles.
- Les muscles dorsaux, de même que les abdominaux, doivent toujours être entraînés ensemble.

TONIFIER SA MUSCULATURE POUR PARER À SES FAIBLESSES

Avec l'âge, nous perdons jusqu'à 40 % de notre masse musculaire et donc de notre force. Notre capacité à fournir un effort physique diminue et nous sommes alors sujets aux problèmes de dos.

Un entraînement régulier permet de ralentir ce processus. Les faiblesses musculaires propres à chacun peuvent également être atténuées si nous nous entraînons. Les exercices suivants sont adaptés à l'âge de chacun et donc toujours faisables.

Pour ce faire, et contrairement à ce que l'on croit, pas besoin de grosses machines et d'haltères lourds. Les exercices sont faisables à la maison. Les pages suivantes vous en expliquent quelques-uns destinés à tonifier les muscles dorsaux et abdominaux. À vous de jouer !

Lorsque les muscles du maintien travaillent trop, ils risquent de se raccourcir et se contractent.

LE STRETCHING

Le stretching n'est rien d'autre qu'une façon moderne de qualifier l'étirement. Par l'étirement, on allonge le muscle et l'on améliore le fonctionnement des fibres musculaires. La musculature supporte ainsi l'effort plus facilement et les articulations retrouvent leur pleine mobilité.

Le stretching fait travailler les ligaments, les muscles, les articulations et les os et les prépare à l'effort. Il devrait être pratiqué avant de commencer toute activité sportive, de même qu'après l'effort, comme après un jogging soutenu par exemple, lorsque le muscle de la cuisse est contracté et légèrement raccourci. Les exercices de stretching permettent de lui rendre toute sa souplesse.

Échauffement, étirement, détente

Le programme de stretching proposé à la page 131 se base sur la méthode « contraction-étirement» : on contracte le muscle pendant 8 à 10 secondes pour l'échauffer d'abord, puis on procède à l'étirement pendant 20 secondes. L'étirement renforce le muscle.

Si vous n'avez jamais fait de stretching, laissez-vous d'abord guider par un entraîneur ou un physiothérapeute. Il est également important de vous faire suivre de temps à autre par un œil averti, afin de vous éviter des erreurs de positionnement.

L'étirement musculaire atténue le risque de blessure.

À VOS MARQUES, PRÊT, PARTEZ !

Il est vivement déconseillé de faire du sport lorsque vous souffrez de douleurs aiguës dans le dos, de même que dans tous les cas de blessure physique, qu'il s'agisse de déchirement musculaire, d'élongation ou d'inflammation. Si, pendant l'exercice, vous êtes sujet aux crampes ou que des douleurs surviennent, interrompez-le immédiatement. Cela signifie que vous avez trop forcé. Si cela récidive, consultez un médecin.

STRETCHING : QUELQUES CONSEILS

• Faites en sorte d'intégrer le programme d'exercices à l'emploi du temps de votre journée, par exemple peu avant le petit déjeuner ou bien avant les informations télévisées du soir. Certains exercices sont faciles à intégrer. Vous pouvez, par exemple, vous laver les dents en étirant les muscles du mollet (Exercice I, page 135).

• Ne forcez pas et pensez à faire une petite pause entre chaque exercice.

• Avant chaque exercice, pensez à vous échauffer pendant 5 minutes. Vous pouvez, par exemple, courir sur place. Mettez votre musique préférée pour être en condition. Votre corps se prépare en même temps que votre esprit. La fréquence cardiaque et la circulation sanguine s'accélèrent progressivement.

• Chaque exercice doit être pratiqué par les deux parties du corps en alternance. Si vous commencez par la jambe gauche, poursuivez avec la jambe droite. Tonifiez d'abord les muscles abdominaux de droite, puis ceux de gauche.

• Pendant chaque exercice, n'oubliez pas d'inspirer et d'expirer. Lorsque vous fournissez un effort, ne retenez pas l'air dans vos poumons, car vous augmentez ainsi la pression dans l'abdomen. Inspirez puis expirez calmement. Essayez d'expirer au cours de l'effort et inspirez lorsque vous l'achevez. Un conseil : comptez tout haut pendant les exercices. Cela vous permettra d'inspirer et d'expirer régulièrement.

Lorsque le corps en fait trop sans avoir été préparé, les muscles ont du mal à suivre.

Faites vos exercices à des horaires réguliers afin de les intégrer à votre emploi du temps de la journée.

à savoir

Cet entraînement tonifie votre dos et le maintient en très bonne santé. Cependant, il ne remplace pas pour autant des exercices thérapeutiques et médicaux, indispensables lors d'affections du dos comme la hernie discale.

Entraînement des muscles dorsaux

- Faites travailler les muscles du dos en même temps que les abdominaux en enchaînant les exercices.

- Un exercice destiné à renforcer la musculature doit être suivi par un exercice d'étirement. Il existe également plusieurs exercices destinés à tonifier et étirer le muscle.

- Prenez soin, pendant le déroulement de l'exercice, de maintenir votre dos bien droit.

- Pour éviter de déplacer les vertèbres lombaires, faites toujours travailler d'abord les abdominaux et les fessiers. Lorsque vous vous allongez sur le dos, pensez à placer une serviette de toilette enroulée sous vos lombaires.

- Prenez garde à ne pas tirer la tête en arrière, car ce geste sollicite vos vertèbres cervicales à mauvais escient.

Les muscles dorsaux et les muscles abdominaux sont indissociables.

Entraînement des muscles abdominaux

- Le mouvement ne doit pas être introduit par le menton mais par le sternum.

- Ne croisez pas les mains derrière la nuque, car vous risquez de vous soulever en vous aidant des cervicales et non des abdominaux. Si cela vous semble difficile, votre tête peut prendre appui sur vos mains posées sur les tempes. Si les cervicales vous font souffrir lors de l'exécution de cet exercice, il est préférable de le faire en présence d'un thérapeute qui pourra corriger vos positions.
À la page 90 de notre ouvrage, vous trouverez quelques exercices de détente adaptés aux épaules et à la nuque.

- Si votre nuque vous fait souffrir, faites des exercices destinés à étirer doucement et à renforcer les muscles de la nuque. Si les douleurs persistent, interrompez l'exercice immédiatement.

- Ne reposez pas vos épaules à même le sol pendant la durée de l'exercice, mais maintenez vos omoplates à quelques centimètres au-dessus du sol.

- Inspirez et expirez régulièrement. Faites en sorte d'expirer pendant l'effort, au moment où vous levez votre buste, et inspirez lorsque vous vous détendez, c'est à dire au moment où vous vous allongez de nouveau.

LES RÈGLES DU STRETCHING

• Évitez les mouvements brusques. Tous les mouvements doivent être fluides.
• Procédez à l'étirement en atteignant vos propres limites, puis relâchez un tout petit peu et maintenez cette position d'étirement pendant quelques secondes. Vous remarquerez que le muscle s'abandonne progressivement et devient plus mou. Accordez-vous du temps pour réaliser l'exercice.
• Évitez les mouvements qui déportent. Pour chaque exercice, nous vous indiquons les mouvements à éviter.
• Ne forcez pas sur l'assouplissement, car vous irritez les récepteurs des tendons qui déclenchent, par réflexe, un phénomène de contracture du muscle. Il s'agit d'étirer le muscle et non de le contracter.

S'allonger et se lever convenablement

Nombreux sont les exercices qui doivent être réalisés sur le sol, à genoux ou bien en position couchée. Même si vous n'avez pas de problèmes de dos particuliers, il est important de savoir vous lever et vous allonger en ménageant votre colonne vertébrale.

Mettez-vous à genou sur une jambe. Remontez votre jambe la plus forte et appuyez-vous dessus à l'aide de vos mains (photo 1). Puis agenouillez-vous sur vos deux jambes et mettez-vous à quatre pattes. À l'aide de vos avant-bras, positionnez-vous sur le ventre (photo 2). Tendez un bras en avant. Mettez-vous sur le côté en vous appuyant sur ce bras (photo 3).
Puis tournez-vous sur le dos. Si vous souhaitez vous relever, il vous suffit de refaire exactement les mêmes mouvements en sens inverse.

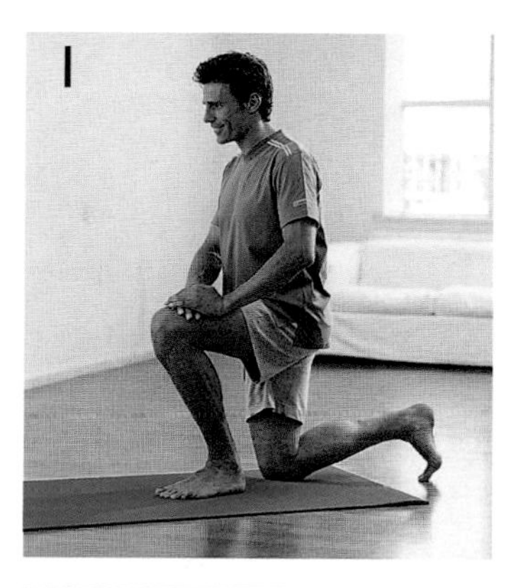

LE PROGRAMME D'EXERCICES

Concoctez-vous votre programme d'exercices en fonction de vos besoins et de vos préférences.

Ce programme comprend 4 parties :

• Première partie :
exercices de mobilisation du bassin.

• Seconde partie :
exercices destinés à étirer et tonifier les muscles dorsaux.

• Troisième partie :
exercices destinés à tonifier les muscles abdominaux.

• Quatrième partie :
exercices destinés à étirer et tonifier les muscles de la nuque.

• Dans ces 4 parties, faites le choix de 8 à 12 exercices et répétez-les tous les jours si possible. Il est conseillé de changer d'exercices tous les deux ou trois mois, plutôt que de vouloir réaliser d'emblée les 20 exercices d'un coup.

• À vous de faire votre choix en piochant dans les 4 parties. Vous pouvez également insister sur certains domaines. Si vous avez tendance à souffrir de la nuque, choisissez plusieurs exercices dans la quatrième partie. Si vous voulez muscler davantage vos muscles abdominaux, la troisième partie vous propose de quoi faire.

Commencez toujours par un exercice de mobilisation du bassin. Ce programme vous permet de travailler vos points faibles et de vous entraîner en fonction de vos propres problèmes de dos.

• Si vous êtes prêt à en faire davantage, vous pouvez y ajouter des exercices de stretching et donc d'étirement de certains groupes de muscles. Vous avez la possibilité de terminer par des exercices de relaxation et de respiration, ainsi que par des massages des zones réflexes du pied.

• Les exercices sont presque tous brièvement décrits avec photo à l'appui. Cela vous en facilitera la compréhension. Chacun d'entre eux est accompagné de la durée de réalisation et d'indications concernant les groupes de muscles qui travaillent.

Les indications concernant chacun des exercices vous aideront à faire votre choix.

PREMIÈRE PARTIE

Exercices de mobilisation du bassin

Les exercices suivants sont destinés à développer la mobilité du bassin. Vous pouvez les faire tôt le matin dans votre lit, mais également à tout moment de la journée en les considérant comme des exercices de détente.

Mouvements du bassin en position couchée

• Position de départ : couchée sur le dos.

• À vous de jouer : allongez-vous sur le dos et pliez les jambes. Basculez le bassin vers le haut en tirant sur vos muscles fessiers, et soulevez les lombaires (photo 1). Puis abaissez votre bassin en appuyant les lombaires sur le sol. Rentrez le ventre (photo 2).

• À savoir ! Les mouvements doivent être souples et fluides. Inspirez et expirez calmement pendant l'exercice.

• Variante : faites des mouvements moins amples, de sorte que vous les sentiez mais qu'ils soient à peine visibles. Les mouvements d'avant en arrière sont alors plus rapides.

• Durée de l'exercice : faites ces deux mouvements 5 à 10 fois en alternance.
But de l'exercice : Mobiliser le bassin.

Variante : Mouvements du bassin en position assise

• Position de départ : assise.

• À vous de jouer : asseyez-vous sur le rebord d'une chaise. Les pieds sont écartés dans le prolongement des hanches. Posez une main sur votre bas-ventre et l'autre sur vos vertèbres lombaires. Basculez le bassin en avant. Le ventre se bombe et les lombaires se redressent. Puis, arrondissez progressivement votre dos en rentrant le ventre. Vous sentez alors les apophyses épineuses sous votre main.

Mouvements du bassin : basculez d'abord le bassin vers le haut (1), puis reposez-le à même le sol (2).

• À savoir ! Les mouvements doivent être souples et fluides. Inspirez et expirez calmement pendant l'exercice.

• Variante : vous pouvez également réduire l'ampleur de vos mouvements.

• Durée de l'exercice : faites ces deux mouvements 5 à 10 fois en alternance.

• But de l'exercice : améliorer la mobilité du bassin.

à savoir

Prenez garde lorsque vous êtes à quatre pattes, à ce que vos mains ne soient pas pliées sur le côté. Le dos ne doit pas être relâché. Vous regardez vers le sol, de sorte que le dos, le cou et la tête soient dans un alignement parfait.

Faire le gros dos

• Position de départ : à quatre pattes.

• À vous de jouer : mettez-vous à quatre pattes et faites le dos rond (photo 1). Les abdominaux travaillent, le ventre est rentré. Inspirez bien en effectuant ce mouvement.

Puis expirez en abaissant doucement les lombaires. Le bassin doit alors être le point le plus élevé du corps (photo 2).

• À savoir ! Ne rentrez pas la tête dans les épaules.

• Durée de l'exercice : faites ces deux mouvements doucement 5 à 10 fois en alternance.

• But de l'exercice : mobilisation et étirement de la musculature du tronc.

Faire le dos rond en inspirant puis abaisser les lombaires en expirant.

L'exercice ci-contre (l'étirement du chat 1) est excellent pour pratiquer l'étirement dans la détente.

SECONDE PARTIE

Exercices destinés à tonifier et à étirer les muscles dorsaux

L'étirement du chat I

• Position de départ : à genoux.

• À vous de jouer : agenouillez-vous sur le sol et asseyez-vous sur les talons.

• Étendez-les bras en forme de V, puis posez vos mains bien à plat sur le sol. Faites ensuite glisser vos mains en avant et étirez-vous comme un chat, en avançant le haut du corps et les mains. Soulevez le bassin jusqu'à ce que les hanches arrivent au niveau des genoux. La tête est entre les bras et vous regardez en arrière (photo ci-dessous).

• À savoir ! Ne rentrez pas la tête dans les épaules.

L'étirement du chat I.

• Durée de l'exercice : étirez-vous selon votre humeur 2 à 4 fois.

• But de l'exercice : étirement des muscles du dos et de la partie supérieure du corps.

L'étirement du chat II

• Position de départ : à genoux.

• À vous de jouer : étendez vos bras comme pour l'exercice précédent. Lorsque vos hanches sont au-dessus de vos genoux, levez en alternance le bras droit puis le bras gauche. Lorsque vous êtes suffisamment exercé, vous pouvez lever le bras jusqu'à ce qu'il arrive dans le prolongement du dos.

• À savoir ! Regardez en bas pendant toute la durée de l'exercice. Ne levez pas les bras trop haut. Il ne doivent pas dépasser le niveau des épaules.

• Durée de l'exercice : levez les bras 5 à 10 fois chacun et renouvelez l'exercice après chaque étirement.

• But de l'exercice : mobilité, étirement et tonification de la musculature des épaules et du tronc.

La balance

• Position de départ : à quatre pattes.

• À vous de jouer : ramenez sous votre corps le coude droit vers le genou gauche. Pour ce faire, courbez la tête et la partie supérieure du corps et regardez vers l'arrière (photo 1).

Expirez et tendez le bras droit, devant vous, le pouce orienté vers le haut. Levez simultanément la jambe gauche et tendez-la. Tournez le pied vers l'extérieur. Le bras, la tête, le tronc et la jambe sont parfaitement alignés (photo 2). Imaginez que quelqu'un tire simultanément votre bras en avant et votre talon en arrière. Maintenez cette position.

• À savoir ! Veillez pendant l'exercice à ce que votre corps (bras, tête, tronc et jambe) forme un alignement parfait. Il ne s'agit pas de lever la jambe le plus haut possible, mais de vous étirer au maximum. La tête n'est pas relevée. Elle se situe dans le prolongement du corps. La photo 3 montre exactement ce qu'il ne faut pas faire.

• Durée de l'exercice : faites d'abord l'exercice 5 fois du même côté, puis changez de côté et recommencez l'exercice 5 fois.

• But de l'exercice : tonifier et étirer la musculature du dos, des épaules et des fessiers et faire l'apprentissage de l'équilibre.

Les mouvements alternés de la balance.

Voilà ce qu'il ne faut pas faire ! Évitez surtout de lever la tête !

L'exercice du paquet, avec une serviette de toilette roulée placée sous la nuque.

Le paquet

• Position de départ : couché sur le dos.

• À vous de jouer : allongez-vous sur le dos. Pliez les jambes contre votre buste et maintenez-les entre vos bras en croisant les doigts. Tirez vos genoux vers le buste. La tête reste couchée sur le sol. Vous pouvez éventuellement glisser une serviette de toilette roulée sous votre nuque. Faites maintenant pression avec vos genoux contre vos mains, comme si vos jambes voulaient se détendre. C'est alors le bas du dos qui travaille. Puis ramenez une nouvelle fois les jambes contre votre buste et maintenez l'effort (photo ci-dessus).

• À savoir ! Inspirez puis expirez le plus régulièrement possible.

• Durée de l'exercice : faites pression avec vos jambes contre vos bras pendant 8 à 10 secondes et maintenez les jambes contre votre buste pendant une vingtaine de secondes. Relâchez bras et jambes et recommencez l'exercice trois ou quatre fois.

• But de l'exercice : tonifier et étirer la musculature du dos.

Le pont

• Position de départ : couché sur le dos.

• À vous de jouer : allongez-vous sur le dos et pliez les jambes en respectant l'écart des hanches. Allongez vos bras bien tendus le long du corps. Soulevez votre bassin le plus haut possible (photo 1 page 122). Les plus expérimentés peuvent également faire l'exercice en tendant une jambe. Le pied reste plié (photo 2).

• Variante : appuyez vos jambes sur un ballon de gymnastique, puis levez le bassin. Le corps doit former une ligne droite.

L'exercice du pont destiné aux débutants (photo 1) et aux plus expérimentés (photo 2).

• À savoir ! Les hanches restent tendues, de sorte que le corps forme un alignement parfait des épaules aux genoux ou au talon (selon la variante).

• Durée de l'exercice : soulevez et reposez le bassin une dizaine de fois sans interruption. Faites une petite pause et reprenez l'exercice une ou deux fois.
Lorsque vous tendez la jambe, maintenez l'effort pendant 8 à 10 secondes. Changez de côté, de sorte qu'au terme de l'exercice, vous ayez levé 5 fois chaque jambe.

• But de l'exercice : tonifier et étirer les muscles du dos et des fessiers et apprentissage de l'équilibre.

La brasse

• Position de départ : couché sur le ventre.

• À vous de jouer : couchez-vous à plat-ventre, le front posé sur le sol. Les pieds sont pliés et leur pointe repose sur le sol. Les bras sont tendus de chaque côté de la tête et forment un U. Tendez les muscles abdominaux et fessiers. Élevez les deux bras simultanément et contractez les omoplates. Soulevez légèrement la partie supérieure du corps. La tête ne doit pas rentrer dans les épaules (photo ci-dessous). Vous pouvez également effectuer de larges mouvements de brasse.

• À savoir ! La tête ne doit pas rentrer dans les épaules. Ne soulevez pas trop haut la partie supérieure du corps. Le bassin et le ventre doivent toujours rester en contact avec le sol. N'oubliez pas de respirer calmement. Faites une petite pause entre les mouvements.

L'exercice de la brasse

• Durée de l'exercice : levez les bras 8 à 10 fois ou bien faites deux ou trois séries de mouvements de brasse avec une pause entre chaque série.
But de l'exercice : tonifier et étirer la musculature du buste et tonifier les muscles des bras.

Le crawl

• Position de départ : couché sur le ventre.

• À vous de jouer : tendez les bras en avant en les posant sur le sol. Soulevez simultanément le bras droit et la jambe gauche à 5 centimètres au-dessus du sol (photo). Imaginez que quelqu'un vous étire en longueur en tirant sur votre main et sur votre talon. La tête reste tournée vers le sol. Maintenez la position.

• À savoir ! Ne levez pas trop haut jambes et bras, sous peine de trop solliciter le dos.

• Durée de l'exercice : levez bras et jambe de chaque côté 10 à 15 fois par séries (deux ou trois).

L'exercice du crawl

L'enlacement

• Position de départ : assise.

• À vous de jouer : asseyez-vous sur le sol en maintenant le dos bien droit et pliez les jambes. Enlacez vos jambes dans vos bras et rapprochez vos talons le plus près possible du bassin. Redressez votre colonne vertébrale en maintenant les jambes serrées contre votre buste (photo ci-contre). Imaginez que l'on vous tire vers le haut en vous attrapant par l'arrière du crâne. Relâchez vos bras tout en maintenant la position. Basculez légèrement en arrière, puis enlacez de nouveau vos jambes en redressant votre dos.

• À savoir ! Prenez garde de ne pas faire le dos rond.

L'exercice de l'enlacement

• Durée de l'exercice : maintenez vos jambes enlacées pendant une vingtaine de secondes, puis essayez de maintenir le dos droit sans l'aide des bras pendant 8 à 10 secondes. Renouvelez l'exercice deux ou trois fois.

• But de l'exercice : tonifier et étirer l'ensemble du dos.

Lever de jambe sur le côté

• Position de départ : couché sur le côté.

• À vous de jouer : posez votre tête sur votre bras tendu, de sorte que la tête soit dans le prolongement du corps. Prenez appui sur l'autre bras en le plaçant devant le buste. Étirez la pointe de vos pieds. Élevez votre jambe de 10 à 20 centimètres au-dessus de celle qui repose bien droite sur le sol (photo ci-dessous). Reposez-la, puis recommencez.

• À savoir ! La tête est posée bien droit sur le bras et vous regardez devant vous. Les hanches sont tendues. Le bassin ne doit basculer ni en avant ni en arrière.

• Durée de l'exercice : levez la jambe 10 à 15 fois, et faites une petite pause. Recommencez l'exercice une ou deux fois, puis changez de côté et faites une ou deux séries avec l'autre jambe.

• But de l'exercice : tonifier les muscles de côté du tronc et ceux de la cuisse.

• À savoir concernant la position sur le côté : ceux qui ont suivi des cours de secourisme connaissent déjà l'importance de la position sur le côté. C'est la position stable appelée position latérale de sécurité, dans laquelle on peut mettre la victime d'un accident.

Elle permet principalement à la victime de vomir devant elle et de ne pas s'étouffer avec les sécrétions, et elle favorise la respiration et la circulation sanguine. La jambe est pliée dessous, une main protège le menton, tandis que l'autre bras est plié sur le côté.

L'exercice de lever de jambe sur le côté.

Il est conseillé de stabiliser la victime avec une couverture ou une veste.

Pendant le déroulement de cet exercice, la tête, le dos, le bassin et les jambes doivent former une ligne droite.

Prendre appui sur le côté

- Position de départ : couché sur le côté.

- À vous de jouer : prenez appui sur le bras plié en dessous. Étirez la pointe de vos pieds, afin de stabiliser les articulations du pied et du genou. Élevez maintenant le bassin en faisant travailler les muscles des épaules. Le corps forme un alignement parfait (photo 1). Levez et abaissez le bassin. Le bassin doit reposer de temps à autre sur le sol. Les plus expérimentés peuvent maintenir le bassin en position haute, tout en élevant la jambe de quelques centimètres. Maintenez la position quelques secondes (photo 2).

- À savoir ! Vous ne devez basculer le bassin ni en avant ni en arrière.

- Durée de l'exercice : élevez et abaissez votre bassin 10 à 15 fois. Faites une petite pause, et recommencez deux ou trois séries. Puis changez de côté.

- But de l'exercice : tonifier les muscles de côté du tronc de même que les abducteurs, et plus précisément les muscles qui les activent.

L'exercice de prise d'appui sur le côté pour les débutants (photo 1)

Le même exercice pour les plus expérimentés (photo 2)

TROISIÈME PARTIE

Exercices destinés à tonifier les muscles abdominaux

Repousser

• Position de départ : couché sur le dos.

• À vous de jouer : allongez-vous sur le dos, pliez les jambes et posez les talons à même le sol. Les bras sont tendus et reposent le long du corps. Vous pouvez glisser une serviette de toilette roulée sous les lombaires, afin de protéger votre dos. Si vous souffrez des cervicales, glissez-la sous la nuque. Élevez légèrement la partie supérieure du corps. Relevez les mains et imaginez que vous êtes en train de repousser un obstacle (photo 1).

• À savoir ! Les vertèbres lombaires reposent à même le sol, et la partie supérieure du corps s'élève très légèrement. La tête est droite et le menton ne fait pas pression sur le buste. Vous regardez le plafond. La photo 2 montre exactement ce qu'il ne faut pas faire.

Exécution correcte de l'exercice

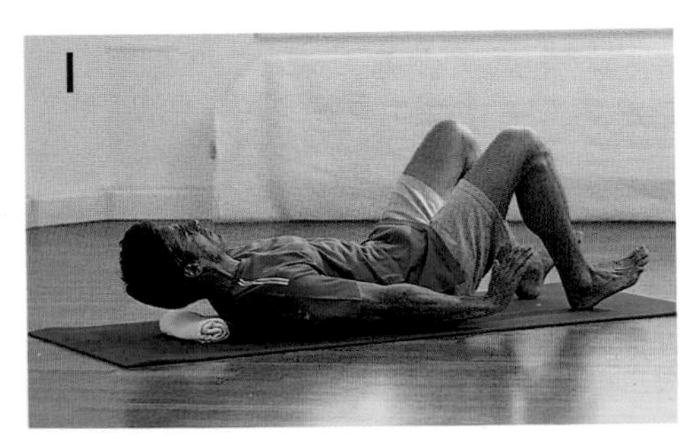

Exécution incorrecte de l'exercice

• Durée de l'exercice : levez-vous 10 à 15 fois, et faites une pause avant de recommencer une ou deux séries.

• But de l'exercice : tonifier le muscle abdominal du grand droit.

Le soulèvement de côté

• Position de départ : couché sur le dos.
• À vous de jouer : allongez-vous sur le dos, repliez les jambes et posez les talons sur le sol. Les bras sont étendus le long du corps. Le dos appuie sur le sol. Soulevez maintenant la partie supérieure à l'oblique. Le bras gauche tendu rejoint la jambe droite. Le bras droit reste posé sur le sol, la paume tournée vers le plafond.

Le soulèvement de côté

• À savoir ! La tête reste droite et le menton ne doit pas faire pression sur le buste. Vous regardez en direction du plafond.

• Durée de l'exercice : soulevez-vous 10 à 15 fois et faites une pause. Faites ensuite une ou deux séries de plus. Puis changez de côté.

• But de l'exercice : tonifier le muscle abdominal du grand oblique.

Les ciseaux

• Position de départ : à quatre pattes.

• À vous de jouer : mettez-vous à quatre pattes et prenez appui sur vos avant-bras. Les coudes se situent en dessous des épaules. Écartez très légèrement les jambes et prenez appui sur vos orteils.

Faites maintenant travailler tous les muscles du buste pour soulever votre bassin en hauteur. Les genoux s'élèvent à quelques centimètres au-dessus du sol (photo 1). Soulevez et abaissez alternativement votre bassin. Les genoux ne doivent pas reposer sur le sol.

• Variante : les plus expérimentés peuvent lever une jambe pliée après avoir soulevé le bassin, et ensuite la rabattre (photo 2).

• À savoir : prenez garde à ne pas rentrer la tête dans les épaules et maintenez l'effort.

• Durée de l'exercice : levez et abaissez le bassin 10 à 15 fois, puis faites une pause et recommencez une ou deux fois.

• But de l'exercice : tonifier les muscles du dos et de l'abdomen, de même que les fessiers.

L'exercice des ciseaux destiné aux débutants (photo 1) et aux plus expérimentés (photo 2).

QUATRIÈME PARTIE

Exercices destinés à tonifier et étirer les muscles de la nuque

Inclinaison de la tête sur le côté

• Position de départ : assise ou debout.
• À vous de jouer : asseyez-vous bien droit sur une chaise ou bien mettez-vous debout. Penchez prudemment la tête sur le côté gauche jusqu'à ce que vous sentiez l'étirement des muscles de la nuque. Imaginez ensuite que vous repoussez de votre main droite un obstacle invisible vers le sol (photo ci-contre). Maintenez l'effort.
• À savoir ! Ne penchez la tête ni en avant, ni en arrière. Maintenez votre buste bien droit et respirez calmement.
• Durée de l'exercice : maintenez l'effort pendant une vingtaine de secondes, puis changez de côté, et répétez l'exercice deux ou trois fois de chaque côté.
• But de l'exercice : tonifier et étirer les muscles de la nuque.

Pression arrière de la tête

• Position de départ : assise ou debout.
• À vous de jouer : asseyez-vous bien droit sur une chaise ou bien mettez-vous debout. Croisez les doigts derrière la tête. La pointe du menton est légèrement orientée vers le buste. Faites maintenant progressivement pression avec votre tête contre vos mains, sans la bouger (photo ci-contre). Maintenez l'effort.
• À savoir ! Cet exercice ne nécessite pratiquement aucun mouvement. Il ne s'agit pas d'appuyer sur la nuque, mais de faire travailler la musculature de manière statique.
• Durée de l'exercice : maintenez l'effort pendant 20 secondes et renouvelez l'exercice deux ou trois fois.
• But de l'exercice : tonifier les muscles de la nuque.

Exercice d'inclinaison de la tête sur le côté.

Exercice de pression arrière de la tête.

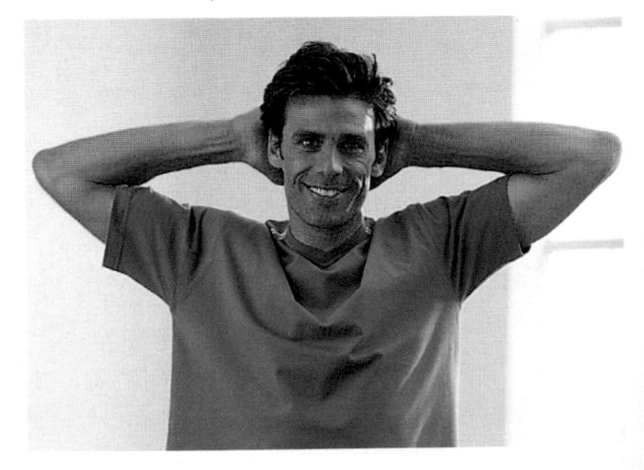

Pression de la tête sur le côté

• Position de départ : assise ou debout.
• À vous de jouer : posez la paume de votre main gauche sur le côté gauche de la tête. Exercez une pression progressive de la tête contre votre main (photo ci-contre). La tête ne doit aucunement bouger. Maintenez l'effort une vingtaine de secondes, puis changez de côté. Laissez l'autre bras pendre le long du corps.
• À savoir ! Cet exercice ne nécessite pratiquement aucun mouvement. Il ne s'agit pas d'incliner la tête sur le côté, mais de faire travailler la musculature de manière statique.
• Durée de l'exercice : maintenez l'effort pendant 20 secondes, puis changez de côté et renouvelez l'exercice deux ou trois fois.
• But de l'exercice : tonifier les muscles de la nuque.

Pression avant de la tête

• Position de départ : assise ou debout.
• À vous de jouer : asseyez-vous bien droit sur une chaise ou bien mettez-vous debout. Posez les doigts de vos deux mains sur le front. Exercez une pression progressive de la tête contre vos doigts. Le menton pointe devant lui (photo ci-contre).
• À savoir ! Cet exercice ne nécessite pratiquement aucun mouvement. Il ne s'agit pas de baisser la tête en avant, mais de faire travailler la musculature de manière statique.
• Durée de l'exercice : maintenez l'effort pendant 20 bonnes secondes et répétez-le deux ou trois fois.
• But de l'exercice : tonifier les muscles de la nuque.

Exercice de pression de la tête sur le côté.

Exercice de pression avant de la tête.

EXERCICES DE STRETCHING

Le programme de stretching est conçu pour vous permettre d'étirer votre corps de la tête aux pieds. Il commence par le travail des bras et de la partie supérieure du corps en position debout, et se poursuit par le travail des jambes en position debout, puis en position assise.

Étirement des muscles des épaules et des bras I

- Position de départ : debout.
- À vous de jouer : mettez-vous debout confortablement. Ramenez un bras tendu presque à l'horizontale contre le corps. Pliez l'autre bras dessus à la hauteur du coude en faisant pression, puis relâchez (photo 1). Vous sentez l'étirement dans le bras tendu et dans la région de l'omoplate. Appuyez maintenant fortement le bras tendu contre le bras plié comme si vous souhaitiez le libérer. Interrompez l'effort et reprenez l'étirement du muscle en faisant pression sur le bras tendu. Recommencez l'exercice une ou deux fois, puis changez de bras.
- À savoir ! Le bras tendu ne bouge pas pendant l'effort.
- Durée de l'exercice : contractez le muscle pendant 8 à 10 secondes, puis étirez-le 20 secondes. Répétez l'exercice deux ou trois fois de chaque côté.
- But de l'exercice : étirer et tonifier les muscles des bras et des épaules.

L'exercice suivant est dans le même esprit.

Étirement des muscles des épaules et des bras II

- Position de départ : debout.
- À vous de jouer : mettez-vous debout confortablement. Levez un bras et pliez-le en arrière, de sorte que la main vienne se poser entre les omoplates. Avec l'autre bras, saisissez le coude du premier et appuyez dessus. Vous sentez l'étirement dans votre bras. Maintenant, faites pression avec le coude contre l'autre bras comme s'il souhaitait se libérer de son emprise (photo 2). Relâchez, puis reprenez l'étirement du muscle en appuyant de nouveau sur le coude.

Exercice d'étirement des muscles des épaules et des bras I.

Faites une pause et recommencez l'exercice une ou deux fois, puis changez de bras.

• À savoir ! Ne bougez pas le bras pendant l'effort.

• Durée de l'exercice : contractez le muscle pendant 8 à 10 secondes, puis étirez-le pendant 20 secondes. Renouvelez l'exercice deux ou trois fois pour chaque bras.

• But de l'exercice : étirer et tonifier les muscles des bras et des épaules.

Étirement des muscles des épaules et des bras III

• Position de départ : debout.

• À vous de jouer : croisez les doigts devant vous et retournez les paumes de vos mains vers l'extérieur. Montez doucement vos bras au-dessus de votre tête et faites pression vers le haut avec vos mains. La tête est légèrement décalée vers l'arrière, de sorte qu'un double menton se forme (photo 3).

Dans la seconde partie de l'exercice, croisez les mains derrière le dos, les paumes tournées vers le bas. Tirez sur les épaules et imaginez que vous faites pression vers le bas sur un obstacle.

• À savoir ! Ne rentrez pas la tête dans les épaules.

• Durée de l'exercice : maintenez l'effort pendant une vingtaine de secondes et renouvelez l'exercice deux ou trois fois.

• But de l'exercice : étirer et tonifier les muscles des épaules et des bras.

Exercice d'étirement des muscles des épaules et des bras II (photo 2) et III (photo 3).

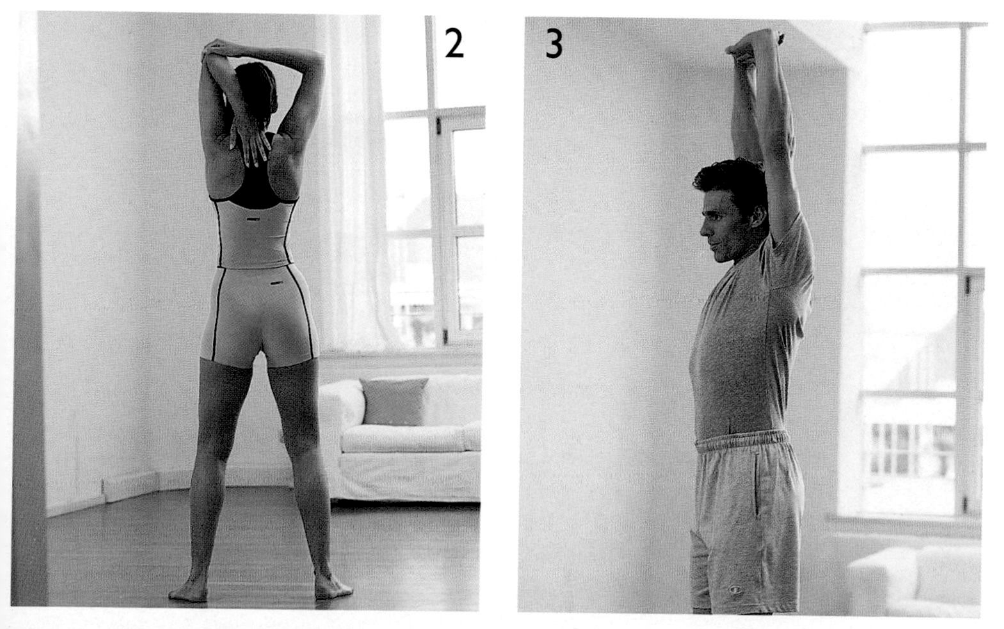

Exercice d'étirement des muscles de la poitrine et du bras.

Étirement des grands pectoraux et des muscles des bras

• Position de départ : debout.

• À vous de jouer : mettez-vous debout dans l'embrasure d'une porte. Posez votre avant-bras à plat contre le chambranle. Tournez votre buste comme si vous souhaitiez avancer. Vous sentez l'étirement du grand pectoral dans la poitrine. Faites ensuite travailler votre muscle, en imaginant que vous repoussez le chambranle. Interrompez la contraction musculaire et reprenez l'étirement (photo ci-dessus).

Faites une pause et renouvelez une ou deux fois l'exercice . Puis changez de bras.

• À savoir ! Tournez la tête et le buste simultanément. Le bras doit être maintenu à bonne hauteur et former un angle droit avec le chambranle. L'avant-bras est dans le prolongement du chambranle. Le bras et l'avant-bras forment également un angle droit.

• Durée de l'exercice : contractez le muscle pendant 8 à 10 secondes, puis étirez-le pendant une vingtaine de secondes, et renouvelez l'exercice deux ou trois fois pour chaque bras.

• But de l'exercice : étirer et tonifier le grand pectoral de la poitrine et les muscles du bras.

Étirement des quadriceps (muscles de la face antérieure de la cuisse)

• Position de départ : debout.

• À vous de jouer : tenez-vous debout bien droit. Si vous avez des problèmes d'équilibre, vous pouvez poser votre main sur une chaise.
Pliez une jambe, attrapez votre cheville avec votre main et tirez-la jusqu'au bassin. Vous sentez l'étirement dans la

partie supérieure de la cuisse. Appuyez maintenant votre pied contre votre main, comme si vous vouliez redescendre la jambe. Interrompez l'effort musculaire et reprenez l'étirement en tirant le talon vers le bassin (photo 1). Faites une pause et renouvelez l'exercice une ou deux fois. Puis changez de jambe.
Si vous n'êtes pas suffisamment souple pour attraper votre cheville, aidez-vous d'une serviette de toilette comme prolongement de votre bras (photo 2).

• À savoir ! Prenez garde à ce que le genou de la jambe pliée ne dévie pas sur le côté et maintenez le dos bien droit. La hanche reste toujours tendue.

• Durée de l'exercice : Maintenez l'effort musculaire pendant 8 à 10 secondes, puis étirez le muscle pendant 20 secondes. Renouvelez l'exercice deux ou trois fois et changez de jambe.

• But de l'exercice : étirer et tonifier les quadriceps (muscles de la face antérieure de la cuisse).

Exercice d'étirement des muscles de la face antérieure de la cuisse (photo 1 et 2). Si vous ne pouvez attraper votre pied, aidez-vous d'une serviette de toilette (photo 2).

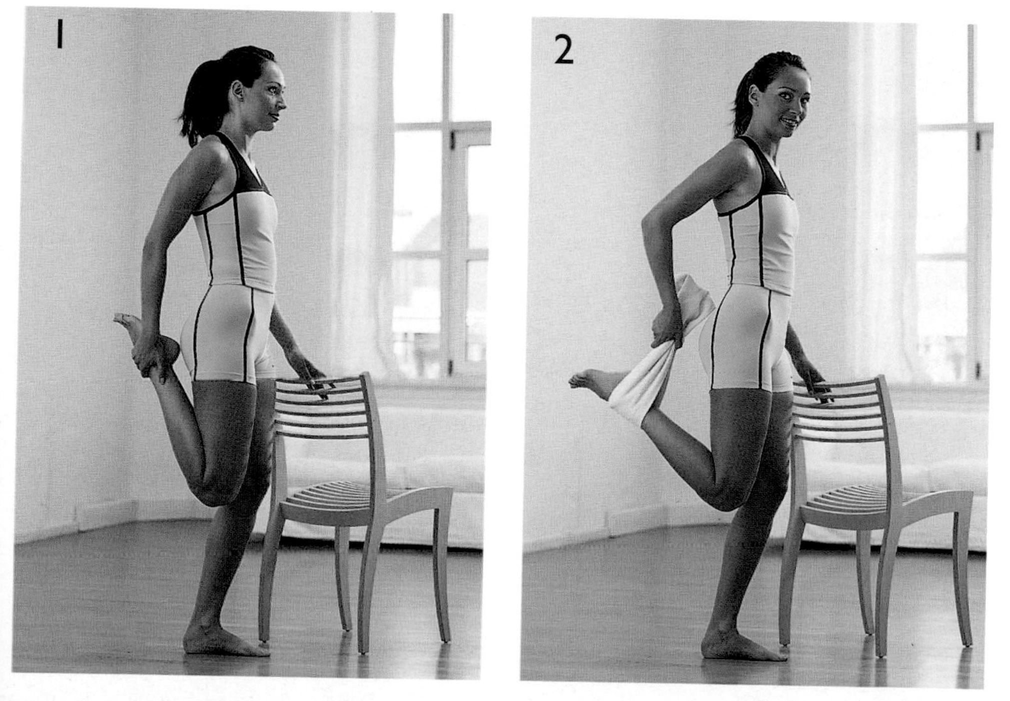

Étirement des muscles du mollet et de la cuisse I

• Position de départ : debout.

• À vous de jouer : placez un livre épais sur le sol et posez dessus la pointe de votre pied, tandis que le talon reste sur le sol (photo 1). Posez ensuite l'autre pied de la même façon. L'épaisseur du livre choisi doit vous permettre de vous tenir bien droit en équilibre. Vous sentez l'étirement des muscles du mollet. Vous pouvez également faire cet exercice lorsque vous attendez le bus, en utilisant le bord du trottoir.

• À savoir ! L'épaisseur du livre doit vous permettre de tenir debout correctement, sans perdre l'équilibre et sans basculer en avant ou en arrière.

• Durée de l'exercice : maintenez l'étirement pendant 20 secondes.

• But de l'exercice : étirement des muscles du mollet.

Étirement des muscles du mollet et de la cuisse II

• Position de départ : debout.

• À vous de jouer : mettez-vous debout devant un mur ou bien devant une table, une jambe en avant. Les pieds sont perpendiculaires au mur. La voûte plantaire et les talons reposent sur le sol. La jambe avant est légèrement fléchie (photo 2).
Tendez bien la jambe arrière. Basculez les hanches en avant et accentuez le fléchissement de la jambe avant jusqu'à ce que vous sentiez l'étirement dans le mollet. Veillez à maintenir le dos bien droit. Puis, faites en sorte d'appuyer vos bras tendus contre le mur, comme si vous souhaitiez le repousser. Vous sentez les muscles se contracter. Interrompez l'effort et reprenez l'étirement, en fléchissant lentement la jambe avant. Relâchez et recommencez l'exercice, puis changez de jambe.

• À savoir ! Les talons doivent toujours reposer sur le sol. Les jambes sont décalées, mais parallèles. Maintenez le dos bien droit.

• Durée de l'exercice : contractez le muscle pendant 8 à 10 secondes, puis étirez-le pendant 20 secondes. Renouvelez l'exercice deux ou trois fois avec chaque jambe.

• But de l'exercice : étirement des muscles du mollet et de la cuisse.

Étirement des muscles de la cuisse (petits adducteurs)

• Position de départ : assise en tailleur, les plantes des pieds l'une contre l'autre.

• À vous de jouer : asseyez-vous en tailleur. Les plantes des pieds se touchent. Le menton est légèrement orienté en direction du buste et le dos se tient bien droit. Les avant-bras reposent détendus sur les genoux (photo 3). Appuyez sur vos genoux avec vos avant-bras en direction du sol. Le dos doit rester bien droit. Vous sentez l'étirement dans l'intérieur de la cuisse.

Étirement des muscles du mollet et de la cuisse (photos 1 et 2).

Maintenez-le pendant quelques secondes. Appuyez maintenant les genoux contre vos avant-bras, comme si vous souhaitiez refermer les jambes, et maintenez l'effort. Relâchez et renouvelez l'étirement en faisant pression sur vos genoux.

• À savoir ! Le dos doit toujours rester bien droit. La tête ne doit pas rentrer dans les épaules.

• Durée de l'exercice : contractez votre muscle pendant 8 à 10 secondes puis étirez-le pendant 20 secondes. Renouvelez l'exercice deux ou trois fois.

• But de l'exercice : étirer (et tonifier) les petits adducteurs à l'intérieur de la cuisse.

Étirement des petits adducteurs de la cuisse.

Étirement des muscles de la cuisse (grands adducteurs et abducteurs)

• Position de départ : assise, jambes écartées.

• À vous de jouer : asseyez-vous à même le sol, jambes écartées.

L'écartement ne doit pas être douloureux. Vous sentez tout au plus un léger tiraillement. Le dos est bien droit. Tournez un peu les jambes vers l'extérieur, et pliez les pieds en étirant la pointe (photo 1).

Redressez le dos au maximum et avancez doucement le buste (photo 2). Les bras reposent détendus de chaque côté du corps ou bien sur les cuisses.

Vous pouvez aussi poser les mains sur le sol derrière vous et prendre appui dessus. Vous sentez l'étirement à l'intérieur des cuisses.

• À savoir ! Les jambes doivent être suffisamment écartées et le dos doit rester toujours bien droit.

• Durée de l'exercice : maintenez l'étirement pendant 20 secondes et renouvelez l'exercice deux ou trois fois. But de l'exercice : étirement des muscles intérieurs de la cuisse, (les grands adducteurs et abducteurs).

Étirement des muscles intérieurs de la cuisse, en position assise, jambes écartées.

Étirement des muscles des mollets et des muscles postérieurs de la cuisse

• Position de départ : couchée sur le dos.

Première partie (tonifier et étirer)
Allongez-vous sur le dos en pliant légèrement une jambe. Attrapez des deux mains le creux du genou et tirez la jambe vers le buste. L'autre jambe reste tendue et posée sur le sol (photo 1).

Vous sentez l'étirement dans la cuisse. Contractez le muscle en exerçant une pression avec la jambe contre les mains. Relâchez et reprenez l'étirement en tirant de nouveau la jambe contre le buste.

Seconde partie (étirement pur)
Essayez maintenant de tendre la jambe pliée. La voûte plantaire est tournée vers le plafond (photo 2). Vous sentez l'étirement sur le côté de la jambe. Lorsque vous aurez un peu de pratique, vous pourrez également tendre les pointes des pieds. Vous accentuerez ainsi l'étirement dans le mollet.

Maintenez le dos bien droit. La tête et l'autre jambe reposent sur le sol. À savoir ! La tête reste sur le sol pendant toute la durée de l'exercice. Vous regardez le plafond. Maintenez également toujours l'autre jambe sur le sol.

• Durée de l'exercice : pour la première partie de l'exercice, contractez le muscle pendant 8 à 10 secondes, puis étirez-le pendant 20 secondes. Renouvelez l'exercice deux ou trois fois avec chaque jambe. Pour la seconde partie, l'étirement doit durer 20 secondes. Répétez l'exercice deux ou trois fois avec chaque jambe.

• But de l'exercice : tonifier et étirer les muscles postérieurs de la cuisse et ceux du mollet.

Première partie de l'exercice d'étirement des muscles du mollet et des muscles postérieurs de la cuisse (photo 1) et seconde partie (photo 2).

Étirement du muscle du buste (grand pectoral), des muscles du thorax et du muscle du côté de la cuisse

• Position de départ : assise en yoga.

• À vous de jouer : asseyez-vous sur le sol en tendant une jambe. Pliez la jambe droite. La jambe gauche repose tendue à même le sol. Prenez appui sur votre bras droit et passez la jambe droite pliée par-dessus la jambe gauche. Posez le pied droit contre le genou gauche. Attrapez maintenant le genou droit avec votre main gauche et poussez-le vers l'intérieur. Vous sentez l'étirement dans la cuisse.

Maintenant, contractez le muscle en exerçant une pression avec votre jambe contre votre main. Relâchez, puis reprenez l'étirement, en tournant lentement votre buste.

Les plus expérimentés peuvent utiliser le coude plutôt que la main pour faire pression sur le genou (photo ci-dessous).

• À savoir ! Tournez votre buste et votre tête dans un même mouvement. Maintenez le dos bien droit.

• Durée de l'exercice : contractez le muscle pendant 8 à 10 secondes, puis étirez-le pendant 20 secondes. Renouvelez l'exercice deux ou trois fois de chaque côté.

• But de l'exercice : tonifier et étirer la musculature de la cuisse et du buste.

Position du yoga.
Il est nécessaire de bien sentir les muscles pour faire l'exercice correctement.

PROGRAMME DE RELAXATION

Aujourd'hui, les cours de relaxation sont extrêmement diversifiés, et l'on peut aussi bien apprendre la technique du training autogène que celle du yoga. Chacun réagit différemment à ces méthodes, l'essentiel étant de trouver celle qui vous convient le mieux. Il est fortement conseillé d'apprendre d'abord ces différentes techniques relativement élaborées avec un professeur, dans le cadre d'un cours, individuel ou collectif, plutôt que de se lancer seul dans ces activités. Le chapitre « Harmonie et relaxation », page 160, vous présente les plus complexes d'entre elles.

Les exercices suivants sont relativement simples et ne nécessitent aucune préparation particulière. Il sont faisables à tout moment et presque partout.
Pour vous relaxer au maximum, nous vous conseillons de ne pas porter de vêtements trop serrés au niveau de la taille et du buste. Débranchez le téléphone, et choisissez une pièce correctement chauffée, dans laquelle les rayons du soleil ne pénètrent pas. Certains exercices peuvent être réalisés aussi bien debout qu'en position assise. Au début de ces exercices de relaxation, expirez à fond. C'est une excellente façon d'évacuer le stress et l'énervement.

Faites en sorte que l'atmosphère soit la plus détendue possible avant de commencer les exercices de relaxation.

EXERCICES DE RESPIRATION

Les exercices « Bâiller » et « Renifler » améliorent l'inspiration de l'oxygène, afin d'alimenter au mieux les muscles et le cerveau, et d'accroître les capacités physiques et psychologiques.

Bâiller

Expirez largement, puis inspirez lentement. Ouvrez la bouche lorsque vous inspirez. Décontractez la mâchoire inférieure et expirez en bâillant. Étirez-vous comme le ferait un chat et n'hésitez pas à bâiller tout votre saoul, même bruyamment.

Renifler

Expirez. Afin d'inspirer plus fortement, faites-le en reniflant par à-coups, comme lorsque vous humez une bonne odeur. Puis expirez calmement et longuement en une seule fois.

EXERCICES DE CONCENTRATION EN POSITION ASSISE

Certains d'entre vous sont assis quasiment toute la journée, que ce soit au bureau, dans le bus ou / et à la maison. Vous contractez alors involontairement les muscles des épaules et de la nuque. L'exercice suivant est destiné à vous permettre de prendre conscience de cette contracture pour mieux l'évacuer. Essayez de commencer l'exercice dans un contexte détendu.

Asseyez-vous confortablement sur une chaise. Défaites votre ceinture et retirez vos chaussures, de sorte que vos talons aient un contact direct avec le sol. Écartez un peu les jambes. Votre dos est appuyé sur le dossier de la chaise, ou bien contre un oreiller posé sur le dossier.

Essayez maintenant de vous détacher de votre quotidien en fermant les yeux et en vous retirant à l'intérieur de vous-même. Oubliez votre environnement. Le fait de fermer les paupières permet de détendre les muscles des yeux, souvent extrêmement sollicités par le travail sur ordinateur.

Prendre conscience de son propre corps

Concentrez-vous sur votre respiration. Respirez-vous davantage par l'abdomen ou par le thorax ? Votre respiration est-elle calme et profonde ou bien rapide et courte ? Calmez votre respiration en inspirant profondément par le nez, et suivez son parcours dans votre nez, votre pharynx, vos poumons et votre abdomen. Faites ainsi jusqu'à ce votre respiration soit calme et détendue.

Concentrez-vous maintenant sur vos épaules. Sont-elles tirées vers le haut et contractées ? Alors détendez-les, en laissant vos bras pendre le long du corps. Les muscles de votre nuque se décontractent enfin.

Plongez en pensée vers la partie inférieure de votre corps. Comment êtes-vous assis ? Sentez-vous votre bassin sur toute la surface du siège ? Faites basculer votre poids d'une fesse sur l'autre. Sentez le pourtour de votre bassin pour mieux le décontracter.

Intéressez-vous maintenant à vos pieds. Sentez-vous le contact du sol sur toute la voûte plantaire ? Les pieds sont-ils détendus ou crispés ? Bougez vos orteils et la plante du pied en appuyant les bords puis le talon sur le sol. Imaginez que vous marchez sur du sable mou ou bien sur des petits cailloux chauds. Vous pouvez ensuite vous concentrer sur d'autres parties du corps, par exemple vos mains et vos genoux.

Les yeux fermés et les membres détendus, vous partez à la découverte de votre corps, avant de reprendre le cours de votre quotidien.

Mettez lentement fin à cette détente en ouvrant les yeux et en vous étirant comme un chat au réveil. Laissez-vous traverser par une pensée positive, afin de pouvoir reprendre votre travail, bien motivé. Et puis, démarrez le compte à rebours avant de vous y remettre.

Massage des zones réflexes du pied

Le massage des zones réflexes du pied est une méthode excellente pour relaxer le dos, et présente l'avantage de pouvoir vous masser vous-même. Les différentes parties du dos correspondent à différents endroits de la voûte plantaire. Le massage de ces zones génère une décontraction de la musculature du dos.
Asseyez-vous confortablement.
Attrapez l'un de vos pieds et posez-le sur votre cuisse, sur un siège ou sur le sol. Maintenez fermement le pied dans l'une de vos mains et placez le pouce de l'autre main sur le gros orteil, juste en dessous de la première articulation. Commencez le massage sur la face interne du gros orteil. En faisant des mouvements en cercle, le pouce exerce une légère pression sous le pied. Évoluez ainsi en direction du talon. Puis lissez le pied jusqu'au gros orteil et reprenez les mouvements en cercle.
Si certaines zones du pied vous font souffrir, insistez plus longuement sur le massage. Ces zones correspondent aux endroits plus fragiles de votre dos. Il est donc bon d'y porter une attention particulière. Faites de même avec l'autre pied.

Les zones réflexes de la colonne vertébrale correspondent à certains endroits situés sur la voûte plantaire.

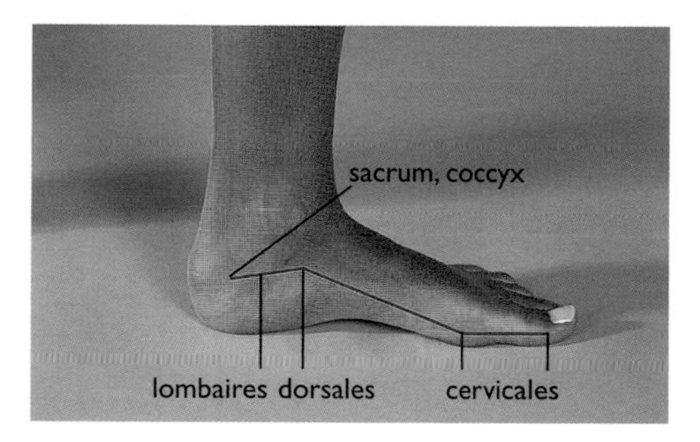

Les zones réflexes de la colonne vertébrale doivent être massées précautionneusement. Les gestes brusques sont à éviter.

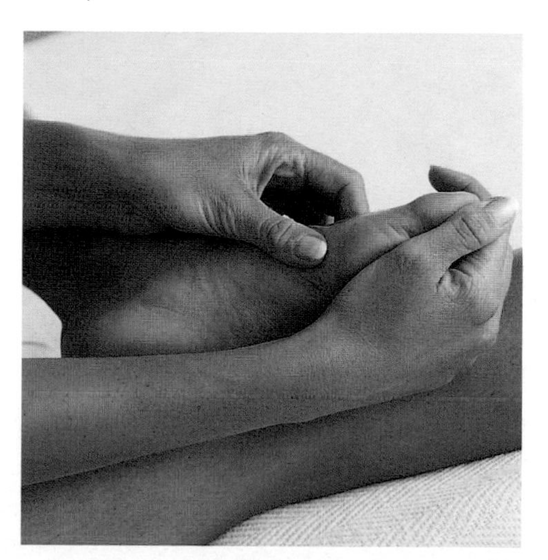

Médecines et thérapies

Si vous êtes fragile du dos, intégrez d'abord les rudiments de l'école du dos, et faites des exercices réguliers pour tonifier et étirer vos muscles. Vous aurez déjà fait un bon bout de chemin. En outre, il existe d'autres méthodes qui permettent de lutter contre le mal de dos, qu'elles soient classiques ou bien issues des médecines parallèles. Ce chapitre vous en propose un aperçu.

LES TRAITEMENTS MÉDICAUX

Pour éviter que des problèmes de dos ne surviennent, il est conseillé de faire travailler régulièrement les muscles du dos et les abdominaux. Mais si vous avez des doutes sur votre état de santé, n'hésitez pas à consulter votre médecin, qui sera à même de vous conseiller sur le type d'entraînement physique qui vous est adapté.

LES ÉCOLES DU DOS

Certains cours et associations proposent des exercices adaptés aux gens qui souffrent du dos. Les écoles du dos, répandues en France depuis une vingtaine d'années, visent à l'économie de mouvements dans l'apprentissage d'attitudes et de postures qui ménagent le dos au quotidien.

La gymnastique aquatique ou aquagym

La gymnastique aquatique est vivement conseillée aux personnes souffrant du dos. Le corps travaille en apesanteur, ce qui est très bon pour les os et les articulations, et les muscles sont tonifiés et étirés. La température devrait idéalement être de 32 °C.

Si vous êtes resté longtemps inactif et que vous décidez de reprendre un entraînement, demandez d'abord conseil à votre médecin.

En plus du bien-être général apporté par l'eau, la gymnastique aquatique décontracte, tonifie et étire les muscles du dos.

La musculation ou le body-building

La musculation est aussi importante que les exercices d'endurance. L'essentiel est d'en faire une activité régulière.

Étant donné que nous perdons tous en masse musculaire à partir de la trentaine, nous devrions dès lors nous atteler à un bon programme de musculation.

Ceci est également indispensable aux gens souffrant d'ostéoporose, car une musculature fortifiée peut compenser une déficience osseuse. La musculation est conseillée après un accident, une fracture osseuse ou une longue maladie, de même qu'à la suite d'une opération, et peut réduire quasiment de moitié le temps de rééducation .

La musculation médicale

La musculation médicalement assistée peut être excellente pour traiter les douleurs du dos et de la nuque. Des machines spéciales contrôlées par ordinateur font travailler les petits muscles profonds du dos.

On peut commencer à tout moment des cours réguliers de musculation.

Ces machines fixent le bassin, surveillent l'ampleur des mouvements et permettent de protéger les articulations.

Un test évalue d'abord la force, la souplesse et l'endurance des muscles du dos. En fonction des résultats, le médecin élabore un programme de musculation individuel.

Le thera-band

Le thera-band s'est considérablement développé en Europe, car c'est le moyen le plus simple de suivre un entraînement musculaire soutenu avec de très petits moyens. Il suffit, effectivement, d'une simple bande de latex que l'on peut emporter partout avec soi, et qui permet de se muscler chez soi, pendant la pause au bureau et pendant les vacances. La palette d'exercices est large et ils sont adaptés à tous les niveaux.

Le thera-band est disponible en plusieurs versions qui se distinguent par leurs degrés de résistance.

Les machines destinées à ce type d'entraînement se trouvent dans les salles de gymnastique spécialisées.

Le thera-band, bande de latex, offre une résistance aux muscles et permet de faire des exercices destinés à les tonifier.

LES THÉRAPIES ACTIVES ACCOMPAGNÉES PAR UN PRATICIEN

La physiothérapie

La physiothérapie est ce qu'on appelle plus couramment rééducation ou kinésithérapie. Mais depuis 1994, on parle officiellement de physiothérapie, et le kinésithérapeute est ainsi devenu physiothérapeute.

L'objectif de la physiothérapie est de soulager la douleur, d'assouplir les articulations et les muscles, de renforcer et d'étirer les muscles et d'apprendre la coordination.

À l'inverse de la thérapie physique, qui induit la passivité du patient et donc le recours aux massages et à l'électrothérapie, la physiothérapie nécessite l'activité du patient.

Le traitement actif et passif

En physiothérapie, on différencie les mouvements actifs et les mouvements passifs. Dans le cas de la thérapie active, le patient fait les mouvements lui-même. Le thérapeute lui donne certaines indications concernant uniquement la réalisation et la durée de l'exercice.

On a souvent recours à l'utilisation d'un ballon de gymnastique ou ballon-siège, d'un thera-band, de poids et d'haltères.

Lors des mouvements passifs, le thérapeute accompagne les parties du corps en mouvement, faisant en sorte qu'elles ne supportent pas leur propre poids. On a recours à cette thérapie après une opération, lorsque les articulations doivent être mobilisées sans trop travailler ou lorsque le patient n'est pas encore en état de se mouvoir. L'aide du thérapeute empêche l'enraidissement des articulations et le raccourcissement des muscles.

Les tractions vertébrales
Les étirements et les tractions du dos peuvent traiter notamment les patients souffrant des lombaires et des cervicales. Pour étirer les vertèbres lombaires, on utilise une table de tractions à laquelle sont raccordées deux ceintures que l'on place sur le bassin et sur le thorax du patient. La table provoque ensuite l'étirement progressif de la colonne par des mouvements automatisés. Pour les vertèbres cervicales, en revanche, on a uniquement recours à des manipulations manuelles. Le thérapeute étire doucement les vertèbres.

Traitements de physiothérapie à base de neurophysiologie

Les traitements de physiothérapie à base de neurophysiologie comptent de nombreuses méthodes (Kabath, Bodath, Le Metayer, etc.) s'intéressant à la mobilité des patients, c'est-à-dire à la manière de s'asseoir, de marcher et de se mettre debout.
Mais quel est leur contenu ? Le cerveau régule et contrôle chacun de nos mouvements. Pendant la réalisation d'un mouvement, il reçoit des informations concernant les différents stades et sur la position du corps dans l'espace.

Par le phénomène de proprioception, le corps informe constamment le cerveau de sa position dans l'espace.

C'est ce que l'on nomme la proprioception. L'exemple du chat qui, lors d'une chute, retombe sur ses pattes, illustre bien ce qui se passe. Les sens du chats enregistrent continuellement la position de son corps dans l'espace, si bien que l'animal parvient à modifier son attitude corporelle sur un mode réflexe et peut atterrir doucement sur ses pattes.

Or, l'homme dispose de réflexes similaires, que le physiothérapeute utilise, afin de déclencher une réaction dans le corps de son patient lors de certains mouvements. Il fait, par exemple, monter le patient sur une planche branlante et lui demande de se maintenir debout sur une jambe. Plus il est calme, moins il bouge sur la planche, et inversement. Ces méthodes parviennent à soigner des contractures et remédient aux mauvaises postures. Toute activité commence par une normalisation du tonus, puis le corps réapprend à faire des mouvements qui lui étaient devenus impossibles, ou bien d'autres mouvements de facilitation.

Le thérapeute actionne les membres du patient lorsque celui-ci ne peut faire les mouvements lui-même. Cette gymnastique accompagnée empêche l'enraidissement des articulations après une opération.

L'ergothérapie

Les ergothérapeutes accompagnent leurs patients dans l'investissement de leur quotidien, lorsque ceux-ci ont souffert d'une longue maladie ou bien subi une opération importante. Il leur faut quelquefois réapprendre des activités de base, comme manger, se laver, s'habiller ou bien écrire.

Le but de l'ergothérapie est d'apporter aux gens la plus grande autonomie possible chez eux comme au travail. Si une partie du corps ne peut plus remplir sa fonction normale, l'ergothérapeute propose au patient différentes aides, comme l'élévation de la lunette des toilettes pour ceux qui ont du mal à se baisser, etc.

THÉRAPIES PASSIVES ET PHYSIQUES AVEC UN PRATICIEN

Le froid et le chaud influencent notre corps et notre bien-être, de manière personnelle à chacun. Certains préfèrent la chaleur sèche, d'autres la chaleur humide et d'autres encore la fraîcheur. Les conditions météorologiques influencent également notre bien-être.

L'ergothérapie aide les patients affectés de troubles moteurs à évoluer correctement dans leur environnement.

Beaucoup de gens sont sensibles au niveau des articulations et des os aux changements météorologiques.

C'est ainsi que la thérapie physique utilise les effets positifs du chaud et du froid. Les différentes formes de massage et le recours à l'électrothérapie font également partie des traitements en thérapie physique.

Les traitements par le chaud et le froid

La chaleur dilate les vaisseaux sanguins. Le métabolisme est davantage sollicité dans un milieu ambiant chaud et l'alimentation des cellules est améliorée. L'utilisation de la chaleur dans le cas de maladies chroniques améliore l'alimentation de l'organe malade.

Le froid, en revanche, provoque une intense vasoconstriction et ralentit le métabolisme. Il soulage donc la douleur en apaisant les nerfs. Le froid est un bon anti-inflammatoire dans le cas de douleurs aiguës.
Lors d'une contusion ou de la déchirure d'un tendon, l'application immédiate du froid peut empêcher un gonflement et réduire l'écoulement du sang.

Les traitements ayant recours à l'utilisation des applications chaudes ou froides sont la thermothérapie et la cryothérapie (thérapie au moyen de très basses températures).

Le froid et le chaud peuvent également soulager les maux de dos. À chacun ce qui lui convient le mieux, même si ce choix est également fonction du stade de la maladie et du type de pathologie. Il y a plusieurs façons d'utiliser le froid et le chaud. Les méthodes suivantes sont généralement celles des praticiens. Vous pouvez avoir recours vous-même à certaines d'entre elles.

Les applications chaudes

• Le bain chaud et le bain thermal (voir Hydrothérapie, page 151).

• Les cataplasmes chauds.

• La fangothérapie : le fango est une boue minérale qui se trouve sur les sols des sources thermales. Un ajout d'eau le transforme en masse épaisse et pâteuse que l'on peut chauffer entre 43 et 45 °C. On applique la boue sur les zones endolories, ou bien le patient allonge son dos sur cette boue et reste dans cette position jusqu'à ce qu'elle refroidisse.

• La boue naturelle : la boue marécageuse est récupérée dans les tourbes et appliquée sur les patients de la même manière que le fango.

Attention ! Les patients sujets à la tension artérielle doivent préalablement consulter leur médecin.

• Le traitement infrarouge : des émetteurs spéciaux projettent une lumière infrarouge sur la peau qui provoque, selon le type de lumière utilisée, un réchauffement de la surface de la peau ou bien des couches plus profondes.

• Les enveloppements chauds : on imbibe d'eau bouillante des serviettes éponges roulées ensemble, avec lesquelles on tamponne la peau, occasionnant ainsi un réchauffement et une décontraction de la musculature, et donc un soulagement de la douleur. Cette méthode est très conseillée pour traiter les contractures de la région des épaules et de la nuque ainsi que des régions dorsales et lombaires.

• Les compresses chaudes ou bien humides : ces compresses facilitent la décontraction musculaire. L'application de pommade ou d'onguent renforce l'effet des compresses.

• L'électrothérapie (voir page 150).

Les applications chaudes et froides sont efficaces en surface uniquement. Pour accéder aux zones plus profondes du corps, il faut avoir recours à l'électrothérapie.

Les applications froides

• Les applications d'eau froide en elles-mêmes.

• La chambre froide : le patient est enfermé pendant une à deux minutes dans une chambre froide à - 100 °C. Cette méthode apaise les inflammations dans le cas de maladies rhumatismales.

• La vessie de glace ou les glaçons : le traitement se résume à des applications brèves de glace sur la zone endolorie. Si vous y avez recours vous-même, prenez soin d'enrouler la vessie de glace dans un linge pour éviter les brûlures (page 66).

• Le bloc-gel : cet emballage contenant un gel s'adapte facilement aux formes du corps. Il est parfait comme recours immédiat lors d'une blessure brutale. Conservez-le dans le compartiment congélation et enveloppez-le dans une serviette avant utilisation.

• L'eau salée : on plonge une serviette dans de l'eau salée et on la met dans le compartiment congélation. Avant utilisation, on la passe rapidement sous l'eau, puis on la pose sur la zone endolorie du corps.

L'électrothérapie

L'électrothérapie est une méthode qui consiste à envoyer un faible courant électrique dans les zones environnant la région endolorie du corps. Cette application stimule les terminaisons nerveuses de la peau qui envoient des signaux au cerveau, interférant alors avec les vecteurs de la douleur.

L'électrothérapie convient très bien au traitement des douleurs chroniques du dos, des pathologies dégénératives de la colonne vertébrale (arthrose des articulations vertébrales), d'irritations des terminaisons nerveuses (crises de sciatique), et d'inflammations chroniques (spondylarthrite ankylosante et rhumatismes).

L'électrothérapie utilise différents types de courants et de fréquences et elle est très efficace dans le traitement de la douleur, lorsqu'elle est bien utilisée.

Prenez garde si vous avez un stimulateur cardiaque

Les champs électromagnétiques peuvent perturber la fonction du stimulateur cardiaque. Si vous en portez un, vous ne devez en aucun cas avoir recours à l'électrothérapie.

L'électrothérapie est un traitement efficace à condition de s'adresser aux meilleurs spécialistes.

L'hydrothérapie

L'hydrothérapie est le traitement par l'eau sous toutes ses formes : elle soigne la douleur par les bains divers et variés (chauds, tièdes, froids, aromatiques, sulfureux, de boue, etc.), par les douches, les massages dans l'eau, et par la vapeur.

La friction du corps

Voilà une méthode que vous pouvez appliquer chez vous tout au long de l'année. Avec une éponge naturelle ou un simple gant de toilette, frictionnez d'abord les deux jambes (la droite puis la gauche), ensuite les deux bras (le droit puis le gauche), le buste, et enfin la tête en effectuant des mouvements circulaires en direction du cœur. Utilisez un mélange de vinaigre de pomme et d'eau (1 cuillerée de vinaigre pour 2 l d'eau).
La friction du corps est excellente pour la circulation sanguine et permet de nettoyer la peau en profondeur. Elle doit durer de 10 à 15 minutes et peut être renouvelée deux ou trois fois par semaine.

Le massage

Le massage est l'un des soins les plus efficaces en matière de mal de dos. Il consiste à frictionner, effleurer, malaxer, tapoter, pétrir, percuter et faire vibrer certaines parties du corps. Les onguents et les huiles (l'huile de paraffine par exemple) facilitent les mouvements sur la peau et renforcent l'efficacité du massage grâce aux substances qu'ils contiennent.

La thalassothérapie soigne les douleurs en utilisant l'eau de mer.

La friction de la peau et donc des parties molles sous la peau (muscles et ligaments) libère des substances hormonales qui accélèrent la circulation sanguine.

Le massage n'est pas efficace uniquement sur les endroits malaxés mais également sur les organes internes auxquels il accède par l'intermédiaire des terminaisons nerveuses. On distingue deux sortes de massages : les massages à thérapie directe des articulations, des muscles et des tissus et les massages des zones réflexes. Parmi ces derniers, le massage chinois le long des méridiens d'acupuncture aide à libérer et faire circuler le sang et l'énergie, et le massage shiatsu d'origine japonaise sur les points d'acupuncture. Enfin, il existe le massage des zones réflexes du pied (voir page 141).

Dans la pliure du genou se trouve un point d'acupuncture très important que l'on masse lorsqu'on a mal au dos.

LES MÉDECINES PARALLÈLES

Il existe d'autres méthodes auxquelles on peut avoir recours pour traiter le mal de dos. Elles sont généralement complémentaires des thérapies médicales et paramédicales et elles peuvent servir de prévention. Dans une pratique sur le long terme, elles sont même parfois capables de soulager des douleurs qu'aucune thérapie classique n'est parvenue à apaiser.
Le concept de base de ces méthodes provenant de l'Est asiatique repose sur une prise en considération de l'homme dans sa globalité, car le corps et l'esprit sont inséparables. Une personne est saine si elle est équilibrée intérieurement et si elle se sent en harmonie avec son environnement. Les problèmes de dos n'ont pas seulement des causes physiologiques, mais sont aussi étroitement liés à des difficultés psychiques générant des contractures. Or, ces médecines parallèles parviennent à apaiser la douleur dans la mesure où elles visent à la détente du corps et de l'esprit et à l'élimination du stress.

Il est tout à fait possible de faire du yoga sans en connaître le fondement philosophique, tandis que d'autres méthodes comme celle de Feldenkrais, d'Alexander, la kinésiologie, ou bien l'ostéopathie et la méthode de rolfing nécessitent d'être présentées et expliquées aux patients par un thérapeute.

La détente, l'élimination du stress et l'harmonie sont les principaux objectifs des médecines parallèles.

LA MÉDECINE CHINOISE TRADITIONNELLE

La médecine chinoise traditionnelle envisage l'homme dans sa globalité. Un organe atteint fait partie d'un corps, et le corps d'un environnement. En ce sens, elle fait de la prévention, car elle considère qu'un esprit et un corps sains nécessitent une vie régulière, un entretien du corps, et une alimentation équilibrée.

L'acupuncture

L'acupuncture est l'une des plus anciennes méthodes thérapeutiques du monde, apparue il y a plus de 3 000 ans. Elle implique la régularisation de l'énergie vitale, du qi (que l'on prononce tchi). Le qi circule dans tout être vivant. Un bon qi signifie que les deux forces cosmiques opposées, le yin et le yang, sont en harmonie.

C'est le cas lorsque ces deux forces sont représentées dans l'être humain à proportion égale. Le yin est le principe féminin et correspond à la terre, à l'obscurité, à la passivité, au froid et à la lune. Le yang est l'élément masculin et correspond au ciel, à la clarté, à l'activité, à la chaleur et au soleil.

Les méridiens

L'énergie vitale circule dans le corps par l'intermédiaire des méridiens. Les méridiens pourraient être matérialisés par le circuit sanguin que traverserait l'énergie. La médecine chinoise recense 12 méridiens principaux, 6 méridiens yang (du ciel vers la terre, du haut vers le bas) et 6 méridiens yin (de la terre vers le ciel, du bas vers le haut). Or, les points d'acupuncture permettent de régulariser le fonctionnement des méridiens. Il en existe une centaine répartis sur l'ensemble du corps.
La perturbation des méridiens provoque un blocage de l'énergie. Le stress, la maladie, une mauvaise alimentation ou des contractures peuvent en être la cause.

On peut agir sur ces points, soit en introduisant des aiguilles sous la peau, soit par pression, soit par moxibustion, une technique qui consiste à les chauffer avec un bâtonnet d'armoise. L'acuponcture soigne les perturbations fonctionnelles du corps, mais ne traite pas ce qui est détruit. Elle est très efficace dans les cas de :

- Maux de tête, migraines, sifflements dans l'oreille et inflammation des nerfs du visage.
- Lombalgies et sciatiques.
- Articulations douloureuses.
- Contractures musculaires dans la région des cervicales.

L'acupuncture de l'oreille ou auriculothérapie

L'auriculothérapie rejoint les techniques de réflexothérapie. On la différencie nettement des techniques d'acupuncture.

L'acupuncture de l'oreille est particulièrement efficace. Elle part du principe que l'ensemble du corps est représenté dans l'oreille, et qu'en stimulant ses points, on peut soigner les organes qui leur correspondent. Cette méthode apaise très bien la douleur et décontracte les muscles.

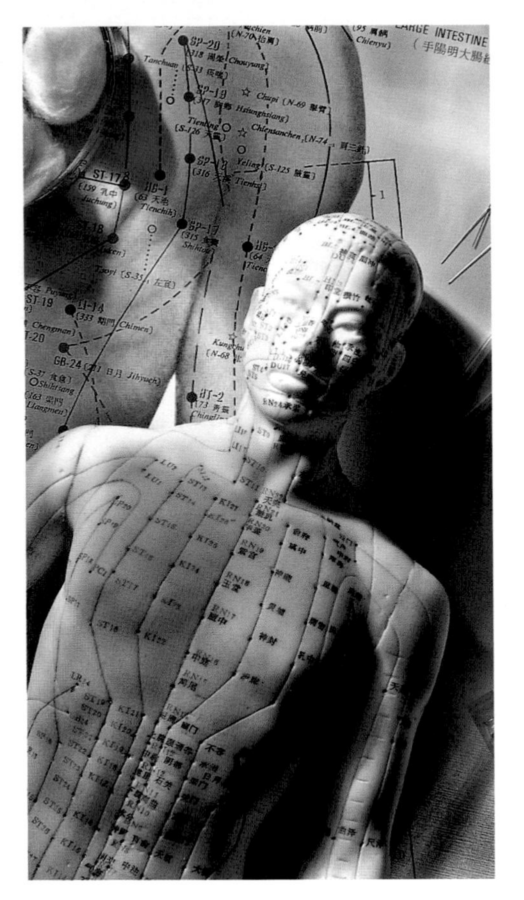

Les méridiens forment un véritable réseau de « circulation » dans notre corps. Les points d'acupuncture sont situés sur leur parcours.

L'acupuncture est généralement pratiquée dans une pièce agréablement chauffée et plutôt sombre. Certains praticiens travaillent sur une musique de méditation, qui contribue à décontracter le patient.

Le shiatsu

Le shiatsu est une ancienne technique de massage de l'Est asiatique, fondée sur la pratique chinoise de l'acupuncture, et qui s'est développée au Japon. Le shiatsu est un traitement du corps dans sa globalité lié au massage ponctuel, c'est-à-dire par simple pression sur les points d'acupuncture. Le praticien utilise ses pouces, les jointures de ses doigts, ses poings, ses genoux et ses pieds.

La pression est généralement exercée de manière statique et peut durer de quelques secondes à quelques minutes. Le shiatsu traite efficacement les douleurs du dos et de la nuque ainsi que les contractures musculaires et aide à l'élimination du stress.

Les ventouses

Cette méthode consiste à chauffer des ventouses de verre et à les appliquer sur la peau. Lors du refroidissement, la peau est aspirée et la circulation sanguine s'accélère. Les zones concernées sont mieux alimentées en oxygène et la douleur s'apaise.

Cette méthode est particulièrement efficace dans les cas de contractures musculaires se faisant sentir sur l'ensemble du dos.

Shiatsu signifie pression du doigt : « shi », doigt et « atsu », pression.

L'application de ventouses permet de soulager efficacement les contractures musculaires du dos.

LA MÉTHODE AYURVÉDIQUE

La médecine ayurvédique est une ancienne pratique indienne vieille de plusieurs millénaires, qui consiste à prendre en compte tous les aspects de la vie humaine : la conscience, le corps, le mode de vie et l'environnement. Toutes les fonctions corporelles et spirituelles sont soumises aux trois forces énergétiques, les doshas, qui influencent la constitution d'une personne humaine.

La médecine ayurvedique est d'origine indienne.

Or, trois facteurs peuvent perturber l'équilibre des forces vitales :

- Une sollicitation exagérée des organes des sens liée au stress et au bruit.
- Le manque d'attention portée aux signaux émis par le corps, comme par exemple refuser de dormir lorsque nous sommes fatigués et consommer, en revanche, café et tabac.
- Le manque d'attention que l'on porte à son propre rythme (sommeil et période d'activité).

La méthode ayurvédique vise à la régulation et à l'harmonisation des doshas en ayant recours à une alimentation particulière, à des procédés d'élimination (ventouses, sudation, jeûne), à l'absorption de médicaments à base de plantes et de minéraux, à la méditation, à la thérapie par les couleurs, les arômes et la musique, aux massages et aux exercices corporels. Cette médecine soigne bien les perturbations physiques et psychiques liées au stress et aux problèmes de sommeil, les maux de tête et les contractures musculaires du dos.

L'HOMÉOPATHIE

Le principe de l'homéopathie repose sur l'idée qu'une certaine substance qui déclenche une maladie dans le corps humain doit être utilisée à doses excessivement faibles pour en traiter les symptômes.
Les homéopathes partent du principe que la cause d'une maladie réside dans une désorganisation de l'énergie vitale du corps humain. Dans la phase de désorganisation, les agents pathogènes peuvent d'abord affaiblir la personne. Mais l'objectif de l'homéopathie est de rétablir l'ordre. Les patients souffrant de maladies inflammatoires dégénératives ou chroniques, de même que les personnes sujettes aux douleurs aiguës, aux migraines et aux contractures de la nuque peuvent avoir recours aux remèdes homéopathiques apaisants comme Arnica, Bryonia et Sepia. Mais il est préférable de consulter un homéopathe, qui vous prescrira les doses correspondant à votre terrain individuel.

Les doses homéopathiques proviennent de substances animales et végétales considérablement diluées et dont l'innocuité est reconnue.

LES THÉRAPIES DU CORPS ET DU MOUVEMENT

L'ostéopathie

L'ostéopathie part du principe qu'une limitation du mouvement dans un endroit du corps peut déclencher des perturbations dans d'autres régions de l'organisme. Cette doctrine, proposant une méthode manuelle complète, a été mise au point aux États-Unis par Andrew Taylor Still, il y a environ un siècle. Elle comprend trois volets :

- L'ostéopathie structurelle du système pariétal (squelette et muscles).
- L'ostéopathie viscérale (organes internes).
- L'ostéopathie crânio-sacrée (la boîte crânienne, les méninges et la moelle épinière).

Ne perdons pas de vue que l'ostéopathe possède des connaissances approfondies en anatomie et en physiologie.

Ces systèmes organiques sont étroitement dépendants les uns des autres, de sorte qu'une perturbation de l'un d'entre eux peut retentir sur les autres.

Les techniques de manipulation sont efficaces dans le traitement des migraines et des vertiges, des affections de la colonne vertébrale telles que les lombalgies, les sciatiques et les déformations du dos comme la scoliose.

La chiropraxie

Cette méthode manipulative s'est développée aux États-Unis à la même époque que l'ostéopathie. Son objectif est de remettre en place les articulations et de leur rendre une mobilité normale non douloureuse.

Le médecin palpe les articulations vertébrales perturbées et procède ensuite à une première petite manipulation pour faire bouger l'articulation.

Puis, il effectue une manipulation plus rapide pour libérer l'articulation.

Il existe certaines contre-indications chez les enfants et les personnes âgées. La chiropraxie ne soigne pas les causes du problème de dos, mais uniquement les symptômes.

Elle doit donc être généralement accompagnée par des exercices de rééducation, des massages, etc. Les manipulations ne doivent pas être effectuées trop souvent.

Le rolfing

La méthode du rolfing a été mise au point par la chimiste Ida P. Rolf (1896-1976), partant du constat que le corps et l'âme ne peuvent être sains que si toutes les structures du corps sont en harmonie.

Elle consiste donc à rétablir une mobilité et une souplesse des différents tissus de l'organisme. Le rolfing apaise efficacement les douleurs, par exemple, dans les cas de scoliose, d'hyperlordose et de migraines.

La kinésiologie

L'objectif de la kinésiologie est d'encourager le développement des capacités physiques, spirituelles ainsi que l'équilibre émotionnel d'un être humain, afin de favoriser le complet épanouissement de la personnalité. La recherche dans le domaine des réactions musculaires est à l'origine de cette forme de thérapie.

La kinésiologie est liée au mouvement. Elle vise à remédier aux blocages du corps afin de faciliter le parcours de l'énergie vitale.

Elle a permis de mettre au point un test musculaire permettant de diagnostiquer les blocages et fonctions perturbées.

Ce test permet notamment d'évaluer l'influence des aliments, de l'environnement, des pensées et des émotions sur l'organisme.

Étant donné que la kinésiologie tente d'élever le niveau d'énergie du corps et d'éloigner les facteurs de stress, elle est particulièrement adaptée aux personnes soumises au stress et aux contractures musculaires dans la nuque et dans le dos.

L'un des objectifs de la méthode Feldenkrais est d'apprendre à accepter son corps avec toutes ses faiblesses.

La méthode Feldenkrais

Fondée par Moshe Feldenkrais, la méthode du même nom a pour objectif la perception du corps et une perception globale de soi-même.

Elle propose l'apprentissage conscient du mouvement. Les patients souffrant de maux de dos chroniques ou bien dont la mobilité est limitée, peuvent apprendre de nouvelles formes de mouvements destinés à apaiser la douleur. « Le voyage au travers du corps » - c'est ainsi que Moshe Feldenkrais appelait sa thérapie - offre aux patients la possibilité de découvrir s'il existe des alternatives aux mouvements connus, susceptibles d'être intégrées au quotidien.

Les exercices pratiqués selon la méthode Feldenkrais permettent d'acquérir une nouvelle conscience de son propre corps.

La technique Alexander

À l'instar de la méthode Feldenkrais, la technique Alexander a pour but de faire disparaître les mauvaises habitudes de tenue du corps en les remplaçant par celles qui lui sont plus favorables, en ayant recours à une prise de conscience quotidienne du mouvement.

Elle est adaptée aux douleurs chroniques affectant la tête, le dos et la nuque car elle soulage la douleur et décontracte les muscles par l'adoption de nouvelles attitudes et la pratique d'une respiration détendue.

La méthode apophysaire

La méthode apophysaire est une thérapie manuelle qui permet de remettre en place une vertèbre en faisant pression de côté sur l'apophyse épineuse ou sur l'apophyse transverse. Son objectif est la remise en place d'une colonne vertébrale sur un bassin bien droit. Le praticien enduit d'abord d'huile le dos du patient et passe sa main le long de la colonne vertébrale, avant de faire pression avec ses doigts pour déplacer les corps vertébraux.

La technique Alexander est souvent utilisée en psychothérapie car la modification des attitudes corporelles influence positivement le psychisme et l'humeur.

Cette méthode permet de veiller à la bonne tenue des ligaments, muscles et tendons de la colonne vertébrale.

LA MÉDECINE ANTHROPOSOPHIQUE

Cette médecine se base sur l'enseignement de Rudolf Steiner (1861-1925), qui a également mis au point la Pédagogie Spéciale ainsi que la Pédagogie de Waldorf. Elle part du principe que l'homme résulte de quatre natures différentes : du corps astral (l'âme), du Moi (le centre de la personnalité), du corps physique (le corps visible) et du corps de vie ou éthéré (la somme des forces vitales). Ces quatre natures sont étroitement liées et se séparent au moment de la mort de l'être humain.

Les anthroposophes utilisent essentiellement des préparations homéopathiques et traitent les patients à partir d'un concept global de thérapie. Les gens souffrant de maladies psychosomatiques et organiques, de même que de fréquents maux de dos, peuvent y trouver une source de soulagement.

Le but de la médecine anthroposophique est de permettre à l'être humain de se frayer le chemin vers l'harmonie intérieure.

HARMONIE ET RELAXATION

Dans une époque très marquée par le stress et les stimulations sonores de toutes sortes, il est difficile pour beaucoup de gens de bien se reposer et de dormir profondément. Le corps réagit aux sollicitations constantes par des contractures musculaires, des maux de tête et des douleurs dans les membres.
Les méthodes suivantes proposent des programmes de relaxation variés permettant d'être mieux dans sa peau et dans son quotidien.

LE YOGA

Le yoga peut aider à traiter de nombreux problèmes de santé, notamment les contractures musculaires dans la nuque et le dos. Il est cependant préférable de s'abstenir lorsque les douleurs au niveau du dos sont aiguës, et de reprendre les exercices après les crises, en se ménageant suffisamment de temps.

Les méthodes de relaxation présentées ci-après influencent positivement le dos et les attitudes corporelles. Elles soulagent indirectement les douleurs résultant du stress et des contractures musculaires.

Nombreux sont les exercices de yoga excellents pour le dos, les épaules et la nuque.

Il est prouvé que le yoga renforce le système hormonal et nerveux. Il élimine le stress, favorise les capacités de concentration et améliore la tenue du corps et la mobilité. Le yoga compte parmi les six systèmes classiques de la philosophie indienne.

LA MÉDITATION

La méditation transcendantale est l'une des formes de méditation les plus répandues. Son objectif est de permettre à l'être humain d'atteindre un état de relaxation profonde, proche du sommeil, régénérant l'âme et l'esprit. Le corps fait l'apprentissage du repos. La méditation peut remédier aux contractures musculaires et soulager le dos en équilibrant le psychisme. Elle développe les capacités de concentration et l'équilibre de la personnalité.
Pour parvenir à un état de relaxation dans le cadre de la méditation transcendantale, l'élève récite de courtes phrases, appelées mantras, conçues pour chaque individu en fonction de sa personnalité, son métier et ses problèmes personnels.

La méditation apaise le corps, l'âme et l'esprit. Elle peut apporter un apaisement aux maux de dos causés par le stress et les contractures musculaires.

La méditation tente ainsi de libérer l'esprit du contrôle de la conscience, de le vider de ses pensées et de ses craintes.

LE TRAINING AUTOGÈNE

Le training autogène compte parmi les techniques de relaxation les plus répandues. Les exercices spécifiques de décontraction et respiration ainsi que la force de la pensée visent à diminuer le tonus musculaire.

Cette technique a pour objectif de lever les contractures et de dominer ses peurs. La relaxation physique complète est essentielle car elle est bénéfique au système neurovégétatif. Le training autogène peut se pratiquer à n'importe quel moment de la journée et permet de se régénérer. Il exige, cependant, une certaine régularité.

Il est préférable de se faire guider dans l'apprentissage du training autogène.

LE TAÏ-CHI-CHUAN

Le taï-chi-chuan est une pratique qui remonte à 2000 ans avant notre ère et prend racine dans la tradition taoïste. Elle est très répandue en Chine et associe une technique de défense à des éléments de décontraction et de méditation.

La pratique quotidienne est censée créer un lien entre le corps et les forces de l'univers. Elle est source d'énergie tout au long de la journée. Le taï-chi-chuan vise à l'apprentissage de la prise de conscience de son corps par la pratique d'une sorte de danse, représentant les symboles du yin et du yang dans leur ambivalence. Les mouvements lents, fluides et graciles, rappelant l'eau (symbole du taoïsme) doivent permettre de retrouver l'équilibre entre le yin et le yang.

Cette méthode est excellente pour les personnes sujettes aux problèmes de dos, car elle lève les contractures et l'harmonisation des mouvements améliore les postures corporelles.

Le taï-chi-chuan est également très bénéfique pour les gens bien portants.

LE QI GONG

Le qi gong, pratiqué en Chine depuis plusieurs millénaires, améliore le cours de l'énergie vitale par la pratique d'exercices calmes et presque statiques. Le repos permet d'accroître l'énergie et la vitalité. Cette méthode est particulièrement recommandée aux personnes victimes du stress, sujettes aux contractures musculaires et aux problèmes de dos chroniques.

LA RELAXATION PROGRESSIVE DE JACOBSON

La relaxation progressive de Jacobson repose sur le fait que la tension musculaire systématique s'achevant par une phase de décontraction consciente peut amener l'être humain à une profonde relaxation du corps et de l'esprit. Cette méthode s'est avérée efficace dans le traitement des perturbations du sommeil, des maux de tête chroniques, des contractures musculaires, ainsi que dans l'élimination du stress et des maladies liées au stress. Dans la pratique, il faut se mettre en position assise ou allongée et se détendre complètement, puis contracter les uns après les autres, 16 groupes de muscles pendant 5 à 8 secondes. Après quoi, il faut se concentrer pendant 30 secondes sur la décontraction de chaque muscle.

La relaxation progressive de Jacobson nécessite de faire les exercices avec régularité.

L'AROMATHÉRAPIE *

Branche de la phytothérapie, cette méthode thérapeutique recourt aux huiles essentielles (H. E.) des plantes aromatiques. Elle possède de nombreux pôles d'activité.
Depuis 1972, la dénomination huile essentielle (H. E.) a remplacé les anciens termes « essence » ou « essence aromatique ». Les H. E. sont extraites des plantes par distillation à la vapeur. Ce sont des liquides huileux sans être des corps gras (elles ne tachent pas le papier), plus légers que l'eau, d'odeur et de saveur fortement aromatiques, très volatiles, sensibles à l'air et à la lumière, d'où des contraintes particulières de stockage , insolubles dans l'eau, solubles dans l'alcool et dans les huiles fixes comme l'amande douce, par exemple.

Quatre cent vingt-deux essences sont répertoriées, issues de végétaux ou de parties de végétaux, mais seule une quarantaine d'entre elles sont utilisées en aromathérapie.
La connaissance des propriétés des plantes utilisées en phytothérapie ne permet pas de déduire systématiquement leurs propriétés en aromathérapie, ceci est important et fondamental. On ne peut, sans risque d'erreurs graves, attribuer systématiquement aux H. E. les propriétés des plantes dont elles sont issues.

Les difficultés d'utilisation tiennent surtout à leur tolérance moyenne que les pharmaciens cherchent sans cesse à améliorer.

Attention : les H. E. présentent une toxicité aiguë indiscutable, l'automédication ne doit se faire qu'à l'aide de conseils très éclairés. L'utilisation sauvage des H. E. à doses approximatives peut provoquer des accidents neurologiques graves, voire mortels. Ne les utilisez donc qu'en connaissant bien leurs effets, leurs indications, leur mode d'emploi. Vous devez respecter impérativement les doses prescrites, vous abstenir dans le doute et éviter un traitement prolongé sans avis médical très « autorisé ». Enfin, vous ne devez jamais les utiliser chez les bébés.

* Extraits des ouvrages *Le guide Marabout des médecines douces* et *Combattre la douleur*, Serge Rafal, Marabout, avec l'aimable autorisation de l'auteur.

Les aides médicales

Il est nécessaire de consulter un médecin lorsque vous souffrez pour la première fois d'un mal de dos violent, ou bien de douleurs moins fortes mais récidivantes. Ce chapitre vous explique la façon dont le médecin procède aux examens et les traitements qu'il peut préconiser.

LA CONSULTATION MÉDICALE

Le médecin vous posera d'abord toute une série de questions, dont les réponses participeront à l'élaboration de son diagnostic.

LES QUESTIONS INCONTOURNABLES

À quel moment la douleur est-elle apparue ?

Cette question permet de savoir si la douleur est brutale ou bien si elle est chronique. Le médecin doit, en effet, savoir si la douleur s'est manifestée de manière insidieuse ou bien si elle est survenue soudainement. Il vous demandera si vous vous souvenez d'avoir fait un mouvement qui aurait pu la déclencher.

Comment s'exprime la douleur ?

Une douleur bien décrite permet au médecin de tirer des conclusions plus précises. Demandez-vous donc :

- De quel type de douleur il s'agit, si elle est cuisante, lancinante, violente ou plutôt sourde.
- Si la douleur est permanente ou bien si elle apparaît dans certaines situations seulement ou lors de mouvements spécifiques.
- À quel moment la douleur est la plus supportable, si c'est au repos ou bien lorsque vous bougez. Si elle est plus forte lorsque vous toussez.
- Si le froid vous apaise mieux que le chaud ou inversement.
- Si vous avez des douleurs plus fortes le jour ou la nuit et si la douleur s'amplifie au fil de la journée.

Le médecin interroge d'abord le patient sur les symptômes et l'apparition de la douleur.

À quel endroit est apparue la douleur ?

Le médecin doit tenter de localiser la douleur :

- La douleur se situe-t-elle à un endroit précis ou bien est-elle plutôt diffuse ? Irradie-t-elle dans une jambe ?
- La douleur est-elle profonde ou bien superficielle ?

Souffrez-vous d'autres symptômes ?

- Avez-vous des difficultés pour uriner ou aller à la selle ?
- Avez-vous des sensations de démangeaison, de brûlure superficielle ou d'engourdissement ?
- Avez-vous une faiblesse musculaire, voire une paralysie musculaire ?
- Vous sentez-vous bien dans votre peau ou bien vivez-vous des difficultés familiales ou professionnelles ?

L'EXAMEN CLINIQUE

Après avoir interrogé le patient, le médecin l'examine.

Il regarde la façon dont vous vous tenez, la forme de votre dos et le placement de votre bassin, la position de vos pieds et de vos jambes. Il vérifie que les jambes sont de même longueur, et regarde la position des épaules, la démarche, la tenue de la tête et la statique de la colonne vertébrale.

L'examen du mouvement et de la démarche

L'observation de son patient en train de marcher renseigne également le médecin. Il regarde si les mouvements sont fluides, harmonieux, sûrs et répartis sur les deux côtés du corps. Le patient boîte-t-il ? Peut-il se mettre sur les talons ou sur la pointe des pieds ?

Les autres symptômes peuvent renseigner le médecin sur la cause de la douleur.

Si vous souffrez de douleurs chroniques, vous pouvez prendre des notes régulières sur ce qui se produit en rapport avec votre mal de dos.

L'examen neurologique

Le médecin regarde si la structure neurologique est affectée, en testant d'abord les réflexes, puis la sensibilité et les sensations, les fonctions musculaires, la coordination des mouvements et le signe de Lasègue (voir page 50).

Les examens complémentaires

Après l'examen clinique, le médecin peut demander au patient certains examens complémentaires, afin de préciser son diagnostic et donc savoir si le mal de dos est révélateur d'un phénomène d'usure, d'une ostéoporose, d'une hernie discale, d'une inflammation ou encore d'une tumeur.

La radiographie

La radiographie permet de visualiser l'état de la structure osseuse, l'aspect des différents segments de la colonne vertébrale et de leurs courbures. Le médecin peut évaluer les contours des os et des articulations, la présence d'une éventuelle fracture. Il vérifie qu'il n'y a pas d'irrégularités : usure osseuse ou au contraire protubérance osseuse.

Le médecin est renseigné par la démarche et le degré de mobilité de son patient.

L'examen radiographique

Cet examen est très courant et facile à entreprendre. Il suffit de se rendre chez n'importe quel radiologue, de se mettre dans la position demandée par le praticien et d'attendre quelques secondes la prise du cliché.
Il ne nécessite aucune préparation.

Le scanner ou examen tomodensitométrique (TDM)

Le principe de cet examen consiste à analyser des radiographies par ordinateur, en reconstituant des images en coupes transversales. Le corps est, en quelque sorte, découpé en tranches. Le scanner est utile pour l'examen du bassin et de la colonne vertébrale.

Pour pratiquer cet examen relativement simple qui dure une vingtaine de minutes, le patient doit s'allonger sur une machine en forme de cylindre de 0,5 m de diamètre et respirer le moins possible.

Les tabliers de plomb et un contrôle régulier des instruments permettent de nous exposer en moindre mesure à l'irradiation des radiographies.

À la différence de la radiographie standard, le scanner permet de visualiser les parties molles du corps. Il est donc possible de diagnostiquer une hernie discale, par exemple.

L'imagerie par résonance magnétique (IRM)

L'imagerie par résonance magnétique est une technique permettant de reconstituer des images en trois dimensions en soumettant tout l'organisme aux champs électromagnétiques d'un aimant.

Cet examen est indolore et pratiqué dans des cabinets radiologiques spécialisés. Le patient doit être allongé sur le dos pendant 20 à 40 minutes dans un cylindre étroit, fermé et relativement bruyant. Le médecin maintient un contact constant par la parole pour éviter les angoisses liées à la claustrophobie. Cet examen permet, dans certains cas, d'éviter des opérations chirurgicales car il apporte une vision des parties molles du corps comme le cerveau et la moelle épinière.

Dans le cas du scanner, la dose d'irradiation reçue par le patient pour chaque image est généralement plus faible que lors de la radiographie. Mais les images sont plus nombreuses, augmentant donc l'irradiation globale.

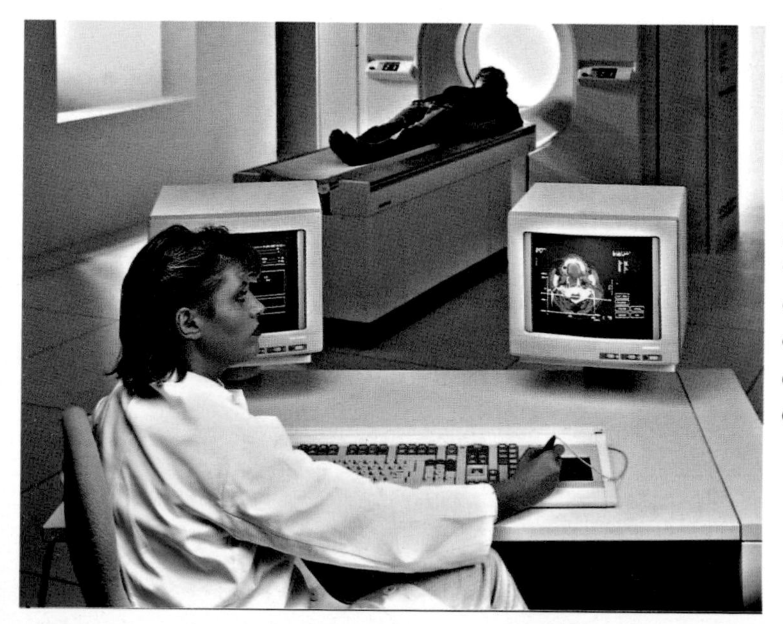

Dans le cas de l'imagerie par résonance magnétique, l'ordinateur fabrique des images à partir des données qui lui sont envoyées.

Attention aux stimulateurs cardiaques
L'interprétation des images de l'IRM devient problématique lorsque le patient possède un stimulateur cardiaque ou du matériel orthopédique en métal (vis dans la colonne vertébrale, par exemple).

La scintigraphie osseuse

La scintigraphie osseuse permet de vérifier s'il y a modification des tissus osseux.

Pour ce faire, on procède à une injection intraveineuse de Technétium 99, produit faiblement radioactif, au niveau du bras du patient, qui doit ensuite patienter quelques heures, avant que la gamma-caméra n'entreprenne le restant du travail. Cet examen est très utile pour cerner les inflammations et les métastases dans le corps. Comme lors des examens radiographiques, les patients sont soumis à l'irradiation.

Une scintigraphie osseuse peut durer entre deux et trois heures, car il faut attendre que le corps ait complètement absorbé l'injection.

Les autres examens

D'autres examens peuvent être pratiqués, notamment des échographies, des examens biologiques ou discographiques, des ponctions lombaires etc. Dans le cadre de cet ouvrage, nous ne pouvons vous les détailler tous.

LES THÉRAPIES MÉDICALES

Après que le médecin vous a examiné et qu'il a réceptionné les résultats des examens qu'il vous a demandé d'entreprendre, il est à même de formaliser son diagnostic. En fonction de celui-ci, il vous indiquera la marche à suivre pour vous mettre sur le chemin de la guérison.

LA THÉRAPIE CLASSIQUE

Les traitements classiques comprennent la prise de médicaments, le repos, les infiltrations médicamenteuses, la thérapie physique et la rééducation (physiothérapie, voir page 146) ainsi que le recours à la chiropraxie (voir pages 157 et 172).

Les médicaments

Il faut savoir que la cause d'un mal de dos disparaît rarement avec la prise de médicaments.
Ceux-ci peuvent cependant apaiser la douleur (les analgésiques), traiter les inflammations et gonflements (les anti-inflammatoires) et décontracter les muscles (les myorelaxants). Il est important de bien respecter les doses prescrites et la durée du traitement. Sachez également qu'un traitement médicamenteux doit être aussi court que possible.

Il existe toute une panoplie de médicaments à base de plantes ou d'enzymes qui sont assez efficaces et n'ont pas d'effets secondaires.

La consultation médicale

Les injections et les infiltrations
Certains médicaments peuvent être administrés par voie injectable, intramusculaire le plus souvent. Le traitement doit être de courte durée et nécessite évidemment la présence d'une personne apte à faire l'injection.

Les infiltrations constituent un autre mode d'administration de médicaments à base de corticoïdes (produits contenant un dérivé de la cortisone). Elles présentent l'avantage d'être locales. Il existe plusieurs types d'infiltrations parmi lesquelles l'infiltration épidurale qui consiste à injecter un corticoïde autour du sac dural dans la région lombaire.

Une injection est l'administration d'un liquide dans le corps, tandis que l'infiltration est l'administration de produits contenant de la cortisone.

Elle peut être pratiquée au cabinet médical, à l'inverse de l'infiltration intradurale plus délicate et risquée qui doit être pratiquée à l'hôpital.

L'infiltration au niveau des articulations interapophysaires permet quelque peu de soulager les douleurs dues à l'arthrose vertébrale.

LA CHIROPRAXIE

Comme nous l'avons examiné plus avant dans cet ouvrage, cette méthode manipulative s'est développée aux États-Unis à la même époque que l'ostéopathie.

Ostéopathie et chiropraxie nécessitent des connaissances approfondies en anatomie et en physiologie.

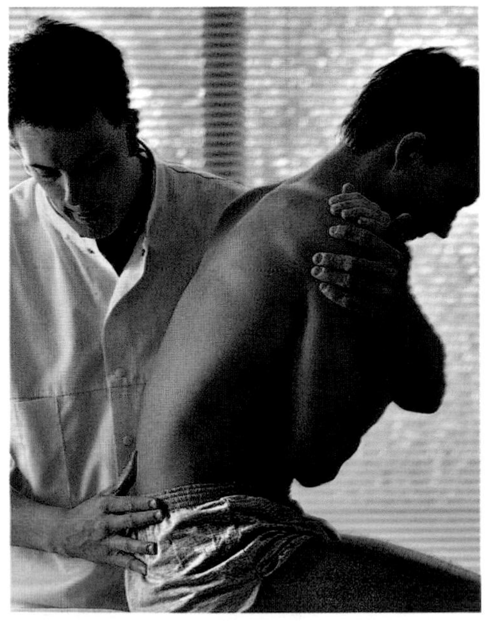

Son objectif est de remettre en place les articulations et de leur rendre une mobilité normale non douloureuse.

Le médecin palpe les articulations vertébrales perturbées et procède ensuite à une première petite manipulation pour faire bouger l'articulation.

Puis, il effectue une manipulation plus rapide pour libérer l'articulation.

Il existe certaines contre-indications chez les enfants et les personnes âgées. La chiropraxie ne soigne pas les causes du problème de dos, mais uniquement les symptômes.

Elle doit donc être généralement accompagnée par des exercices de rééducation, des massages etc. Les manipulations ne doivent pas être effectuées trop souvent.

LES TRAITEMENTS RADICAUX

La chirurgie

Les médecins ont généralement recours à la chirurgie lorsque tous les autres traitements médicaux classiques et naturels sont restés inopérants. La chirurgie peut même parfois s'imposer de toute urgence comme dans le cas d'une hernie discale volumineuse, de troubles neurologiques dus à la compression de la moelle épinière, de certaines scolioses, de spondylolisthésis instable, de tumeurs et du syndrome de la queue de cheval se manifestant par la paralysie des sphincters. On distingue la macro et la microchirurgie des autres techniques chirurgicales.

La macro et la microchirurgie

L'objectif de ce type d'opération est de soulager le nerf. Dans les deux cas, on utilise de petits instruments. En microchirurgie, on procède à des ouvertures particulièrement petites à l'aide d'un microscope spécial. On touche le moins possible aux tissus. Pour permettre au nerf de reprendre sa place, on procède à l'extraction de la partie qui s'est déplacée, dans le cas d'une hernie discale. Ces méthodes connaissent de bons succès sur le long terme.
Le résultat est évidemment toujours dépendant du chirurgien et de son équipe.

Les autres techniques opératoires d'une hernie discale

Depuis une trentaine d'années, les techniques opératoires destinées à traiter la hernie discale ont considérablement évolué. La prudence dans ce domaine doit rester de mise. Certaines techniques sont encore en phase de test, d'autres, pourtant riches en promesses, ont été abandonnées.

L'objectif commun de ces méthodes est de réduire la pression interne du disque intervertébral et donc la compression douloureuse du nerf. Le choix de la méthode est fonction de l'état du disque. Nous vous en présentons quelques-unes :

- La chimionucléolyse

Cette technique consiste à injecter dans le disque intervertébral une enzyme appelée la chymopapaïne, ayant le pouvoir de détruire le noyau du disque par déshydratation. Cette intervention, qui nécessite une anesthésie générale, s'effectue à l'aide d'une aiguille très fine qui passe à travers la peau et sous contrôle radiographique.

- La nucléotomie percutanée

Ce geste consiste à enlever une partie du centre du disque qui compresse le nerf sciatique, à l'aide d'une pince que l'on enfile dans un tube (trocart). Il nécessite une anesthésie générale et quelques jours de repos.

- La discectomie au laser

Cette méthode consiste à placer une aiguille dans le disque intervertébral destinée à faire passer l'énergie du laser dans les tissus du disque. Grâce à l'action de la vapeur, les éléments du disque se remettent en place.

Quelques réponses à vos questions

Que puis-je faire pour que mon mal de dos ne récidive pas ?

Le médecin doit d'abord diagnostiquer s'il y a déformation de la colonne vertébrale et du squelette. Dans la négative, rien de tel qu'un entraînement physique régulier destiné à renforcer le buste et le dos, et des exercices d'endurance pour empêcher les problèmes de dos. Si vos conditions de travail nuisent à votre dos, parlez-en à la médecine du travail. Veillez à faire chez vous les mouvements bons pour le dos. L'école du dos est riche en conseils de ce genre (voir page 73 et sv.).

La surcharge pondérale est l'une des causes fréquentes de problèmes de dos.

Les kilos superflus accélèrent l'usure des vertèbres, des articulations et des ligaments, et les muscles sont davantage sollicités. Si c'est votre cas, il faudrait d'une part essayer de perdre du poids en suivant un régime alimentaire adapté, et renforcer, d'autre part, la tenue du dos.

Quand dois-je consulter un médecin ?

Vous devez consulter un médecin :

- Lorsque vous souffrez du dos pour la première fois, méconnaissant l'origine de la douleur et ignorant si elle peut disparaître d'elle-même.
- Lorsque vous avez fréquemment mal au dos en effectuant de manière récurrente certains mouvements ou en faisant du sport, même si les douleurs disparaissent d'elles-mêmes.
- Lorsque des douleurs violentes surviennent et qu'elles vous immobilisent. Si cela se produit pendant le week-end, n'hésitez pas à appeler le service médical de garde.

Puis-je aller travailler en souffrant du dos ?

Le seuil de la douleur est propre à chacun. S'il se fait que ces douleurs vous inquiètent et que vous ignorez si vous devez aller travailler, prenez conseil auprès de votre médecin. Tout dépend de votre activité professionnelle et du rapport existant entre les douleurs et votre travail.

Votre médecin discutera ces différents aspects avec vous et vous prescrira ou non un arrêt de travail dont la durée sera fonction de votre capacité à travailler.

Vous pouvez demander à votre médecin s'il vous faut modifier votre environnement de travail, et en débattre avec la médecine du travail. Si vous êtes amené à suivre un traitement médicamenteux régulier pour soulager la douleur, sachez que la prise d'analgésiques et de décontractants musculaires peut amoindrir les réactions. Prenez garde de ne pas trop vous activer dès que les médicaments auront atténué la douleur, car vous risquez d'empirer votre état.

Les migraines peuvent-elles être liées au dos ?

En dehors des traumatismes accidentels qui nécessitent un traitement médical immédiat, les mauvaises postures pendant les horaires de travail sont souvent à l'origine de migraines et de douleurs à la nuque. C'est le cas des personnes qui restent assises des journées entières devant l'ordinateur. Les muscles de la nuque sont alors beaucoup trop sollicités. Il en résulte des blocages ou des contractures musculaires qui génèrent quelquefois des migraines.

Dans ces cas-là, il faudrait pouvoir agencer votre bureau de manière ergonomique. N'oubliez pas, en outre, de suivre un entraînement physique destiné à renforcer la musculature du dos, et de prendre en considération les conseils de l'école du dos.

Je suis enceinte. Comment puis-je prendre soin de mon dos ?

Faites de la gymnastique médicale dès le début de votre grossesse. Si les muscles de votre buste sont toniques, ils vous permettront de mieux porter votre ventre en avant, sans créer de déséquilibre. La natation est vivement conseillée car le corps travaille en apesanteur. La pratique de la bicyclette est aussi bonne pour la colonne vertébrale. Les conseils de l'école du dos sont excellents pour favoriser la tenue du corps lors de la marche, du port d'objets lourds et en position couchée.

Les applications froides apaisent-elles plus efficacement la douleur que les applications chaudes ?

En général, les applications chaudes sont plus efficaces. Mais il faut savoir que certaines personnes réagissent moins bien au chaud qu'au froid.

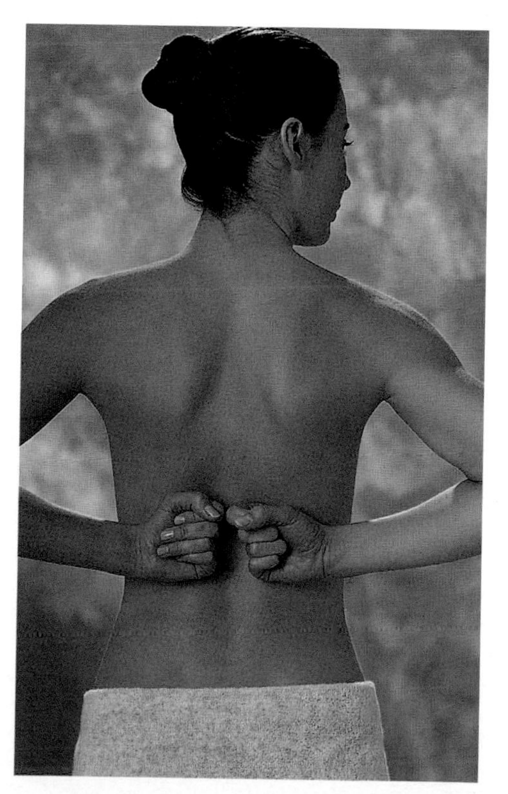

Il faut donc se laisser guider par les sensations de son corps.

Les applications chaudes ont les effets suivants :

- Accélération du flux sanguin.
- Sollicitation du métabolisme.
- Détente musculaire.
- Apaisement de la douleur par l'intermédiaire des récepteurs de la peau.

Important : Il ne faut, en aucun cas, avoir recours aux applications chaudes lors de contusions aiguës ou d'entorse. Le froid est alors nettement plus efficace.

Faut-il accepter de vivre avec des douleurs de dos chroniques ?

Les douleurs chroniques peuvent être le signe d'une affection persistante ou évolutive de la colonne vertébrale. Mais elles ne donnent souvent aucune information sur la cause. La douleur s'est autonomisée et n'a plus de rapport direct avec l'événement déclencheur. Dans une telle situation, les anti-douleurs ont peu d'effet et l'opération chirurgicale ne sert à rien.

Il est conseillé de suivre une méthode thérapeutique globale, qui prend en considération le corps et l'esprit. En plus des médicaments et de la gymnastique médicale (physiothérapie), il est possible de s'adonner au training autogène et à la méthode de décontraction musculaire progressive d'après Jacobson, ainsi que d'intégrer certains aspects de l'école du dos.

Dans les cas d'usure de la colonne vertébrale ou d'une ostéoporose importante, la prise constante de médicaments est nécessaire. Un entraînement adapté et régulier du corps peut également apaiser la douleur et ralentir l'évolution de la maladie.

Les médicaments peuvent-ils être nocifs ?

Tous les médicaments ont des effets secondaires et sont donc risqués. Les nouvelles molécules sont sous le contrôle de l'agence du Médicament (organisme gouvernemental) pour justement réduire ce risque. Et tous les effets secondaires d'un médicament en cours de diffusion doivent être indiqués sur la notice d'utilisation.

Pour permettre au médecin de vous prescrire le médicament qui vous est adapté, informez-le de toutes vos maladies, allergies et intolérances médicamenteuses. Il vous expliquera ensuite la raison de son choix, de même que le moment et la durée de la prise du médicament. Vous devez impérativement vous tenir à ses prescriptions. S'il vous reste des comprimés à la fin du traitement, ne poursuivez pas la prise sans avis médical. Votre pharmacien pourra également vous donner des informations complémentaires sur votre médicament. La règle d'or de la médication dans le cas de problèmes de dos devrait être la suivante : aussi courte que possible, aussi longtemps que nécessaire.

Qu'est-ce que la cortisone ?

Des incertitudes planent à propos de la cortisone. Il s'agit en réalité d'une substance que le corps produit lui-même. La cortisone enraye les inflammations et les réactions allergiques. Elle est donc très adaptée, par exemple, aux cas de hernie discale car elle atténue l'inflammation et permet de diminuer la compression des nerfs.

Les effets secondaires apparaissent uniquement pendant un traitement long et fortement dosé, et sont généralement négligeables lors d'un traitement court, comparés aux effets positifs.

Comment se produit une hernie discale ?

La hernie discale aiguë se produit souvent lors d'un faux mouvement brusque de torsion ou destiné à soulever quelque chose.

L'anneau fibreux du disque intervertébral ne parvient plus à retenir le noyau gélatineux et le laisse s'échapper. Celui-ci comprime alors la moelle épinière ou un nerf. Les déformations de la colonne vertébrale, les contractures, la faiblesse musculaire, les situations psychologiquement difficiles et le stress favorisent les hernies discales.

Dois-je être opéré ?

Une opération chirurgicale est heureusement très rare et n'est impérative que dans les cas de hernie discale grave, ou bien de douleurs chroniques insupportables. Cette décision se prend au cas par cas. Le médecin vous avertit préalablement de tous les risques liés à l'opération, et vous donne des informations sur le traitement consécutif et sur les méthodes différentes. Le syndrome de la queue de cheval compte parmi les cas à traiter d'urgence et qu'il faut généralement opérer dans les 24 heures. Il se manifeste notamment par une paralysie des sphincters, des faiblesses dans les jambes et une douleur insupportable (se référer aux pages 52 et sv.).

La radiographie est-elle nocive ?

Avant de demander une radiographie, le médecin considère toujours si elle peut avoir un intérêt thérapeutique, comparé au risque d'exposition aux radiations.

Pour mieux évaluer le véritable risque d'irradiation, considérons ce qui suit : Nous ne sommes pas uniquement exposés aux rayons X des radiographies, mais également à ceux de notre environnement résultant de la décomposition de substances radioactives, que nous absorbons dans notre eau, notre air et notre alimentation. En outre, nous sommes soumis à l'irradiation cosmique et terrestre, celles-ci dépendant du sous-sol et de l'altitude. En Europe, les rayons X constituent 40 % de l'irradiation.

Si une radiographie est médicalement indispensable, elle sera effectuée avec des mesures de protection, parmi lesquelles un tablier de plomb destiné à épargner les gamètes qui sont particulièrement sensibles, et les cellules embryonnaires. C'est la raison pour laquelle les radiographies sont exceptionnellement prescrites chez les femmes enceintes.

10 CONSEILS POUR AVOIR UN DOS EN BONNE SANTÉ

1 Faute d'entraînement, on se rouille. Activez-vous le plus possible, car le mouvement est sain et préserve la santé et la jeunesse.

2 Ne restez pas debout jambes tendues. Quand vous le pouvez, posez votre pied sur un tabouret ou sur une marche d'escalier pour détendre la colonne vertébrale.

3 Lorsque vous êtes assis, tenez votre dos bien droit et changez souvent de position.

4 Faites-vous aider lorsque vous devez porter des objets lourds. Utilisez un sac à dos ou bien répartissez le poids des deux côtés du corps, en tenant un sac dans chaque main.

5 Maintenez et portez les objets le plus près possible de votre corps.

6 Accroupissez-vous si vous devez vous baisser.
Attention ! Si vous ramassez des charges lourdes en vous baissant, jambes tendues et dos droit, vous faites travailler au maximum vos disques intervertébraux.

7 Nous passons beaucoup de temps dans la vie à dormir. Autant que ce soit sur un bon lit. Tous les matelas et sommiers à lattes vieillissent et devraient être remplacés tous les dix ans.

8 Faites régulièrement du sport. Le vélo, le jogging, la natation, la marche et le ski de fond sont excellents pour le dos.

9 Efforcez-vous de vous maintenir à votre poids idéal. Une alimentation équilibrée et deux ou trois litres d'eau par jour fortifient le corps et le système immunitaire.

10 Prévenez quotidiennement les douleurs de dos en faisant des exercices réguliers pour tonifier et étirer vos muscles.

Index

B

C

D

E

F

G

H

I

J

K

L

M

R

S

T

Y

Traduction : Sabine Boccador.
Avec la collaboration du Dr Ph. Gourdin.

Production photo : Manfred Jahreiss
Photos complémentaires :
Bavaria Bildagentur : p. 107, P. 4 (FGP), p. 42 (vcl).
Bilden pur : p. 47 (CNRI/Okapia).
Getty Images : p. 65 (Chris Craymer), p. 18 (Frank Herholdt), p. 57 (Laurence Monneret), p. 3 (Peter Nicholson).
GU : p. 85 et p. 141 (Christian Dahl), p. 141 (Ingolfhatz), p. 23, p. 146 et p. 160 (Andreas Hosch), p. 101 et p. 167 (Manfred Jahreiss), p. 177 (Suzanne Kracke), p. 67 (Michael Leis), p. 68 (Thomas von Salomon), p. 35 (Christophe Schneider).
IFA-Bilderteam : p. 12 et p. 15 (tpl), p. 98.
Image Bank : p. 70 (Britt Erlanson), p. 94 et p. 164 (David de Lossy), p. 155 (Marc Romanelli), p. 96 (Simon Wilkinson.
Jump : p. 33 (Leonhard Lenz), p. 144 (Martina Sandkühler), p. 122 (Kristiane Vey). Mauritius : p. 72 (Bluestone).
Russka/Ludwig Bertram GmbH : p. 87.
Siemens AG : p. 169.
The Stock Market : p.154 (William Whitehurst).

Graphiques : Detlef Seidensticker.

Titre original : Der Rücken stark und gesund

Imprimé en Italie par Rotolito Lombarda
dépôt légal : 46851 – mai 2004
ISBN: 2501037634
40.3442.7/04

COMMENT LUTTER CONTRE LES MAUX DE DOS ? LES CAUSES SONT MULTIPLES, TOUT COMME LES TRAITEMENTS. L'IDÉAL EST DE MÉNAGER SA COLONNE VERTÉBRALE AU QUOTIDIEN. CE GUIDE EXPLIQUE CLAIREMENT CE QU'IL FAUT FAIRE AU CAS PAR CAS EN MATIÈRE DE PRÉVENTION ET POUR SOULAGER LA DOULEUR.

Au sommaire :

- Un programme d'entraînement personnalisé pour renforcer son dos ; chacun pourra choisir les exercices qui lui conviennent et qui sont adaptés à ses problèmes.
- Des conseils pour bien réagir en cas de douleurs aiguës.
- Des suggestions pour se tenir correctement et soulager son dos au quotidien.
- Des informations et des explications sur les maux de dos les plus courants, la manière de les identifier et de les traiter.

Programme anti-mal de dos

DR JOHANNES-H. HEILMANN, orthopédiste, chiropracteur, spécialiste des pathologies de la colonne vertébrale.

DR KATRIN KINTZEL, spécialiste de médecine sportive.

DR LYDIA SCHRASTETTER, neurologue.

• MARABOUT •
www.marabout.com

40 3442 7

7,90 €
Prix TTC France